Vivre en Église

CERF / NOVALIS

ISBN 2-204-02309-4
ISSN 0182-2407

Distribution
En Amérique
Novalis, 375, rue Rideau, Ottawa, Canada KIN 5Y7
Dépôt légal : 1er trimestre 1985
Bibliothèque nationale du Canada
Bibliothèque nationale du Québec
ISBN : 2-89088-206-3

INTRODUCTION

Des lecteurs réguliers de l'hebdomadaire *La Vie* ont écrit à plusieurs reprises pour réclamer la publication d'un livre rassemblant le courrier religieux. Ce volume et d'autres veulent répondre à cette attente. Ils rendront service également à ceux qui lisent peu ou pas du tout *La Vie* mais qui s'interrogent sur Dieu et l'Église. A travers les questions que nous avons rassemblées, ils retrouveront leurs préoccupations. Les réponses que nous avons apportées leur permettront de faire le tour rapide des grandes affirmations de la foi chrétienne. Non pas à partir de considérations théoriques mais à partir des événements de tous les jours. Nous avons essayé de répondre aussi simplement que possible, brièvement, en aidant nos correspondants à poser plus justement leur problème.

Impossible de publier l'ensemble du courrier échangé au cours des années 1974-1981 ! Il aurait fallu rassembler des milliers de missives. Nous avons dû choisir. Nous n'avons d'abord retenu que les lettres publiées dans *La Vie*, laissant de côté tout le courrier privé. Nous avons encore trié. Nous avons gardé les questions qui reviennent le plus souvent en évitant les répétitions. Les réponses que vous lirez sont le fruit d'un travail collectif. Dans un premier temps, une équipe répond à chaque lettre reçue (mille cinq cents environ par an). Ensuite, une lettre sur dix est choisie en vue de la publication dans le journal.

A chacun d'utiliser ce volume comme bon lui semble. Deux classements peuvent vous aider : d'une part, la table des matières qui répartit en dix chapitres distincts les questions sur l'Église ; d'autre part, un index des mots clés renvoie le lecteur aux lettres qui en traitent plus directement.

Marie-Claire CHAIN
Colette QUÉGUINER
Frère PASCAL

I

POURQUOI L'ÉGLISE ?

1. *Sans renier ma foi, je doute de l'Église*

J'ai cinquante ans. Ma vie conjugale n'a pas été réussie. Là où j'espérais rencontrer tendresse et affection je n'ai trouvé qu'un bloc de glace. La peur de grossesses non désirées a accru la mésentente avec ma femme. Je tiens l'éducation religieuse et morale donnée par ma mère pour responsable de cet échec. Pourquoi une telle sévérité ? Tout geste, tout mot jugé déplacé était fermement réprimandé. Je regrette de n'avoir pas pris plus de liberté au risque de recevoir des coups. Cela m'aurait permis d'apprendre à aimer. Cette constatation me rend d'autant plus amer qu'aujourd'hui tout semble permis chez les chrétiens. Vraiment, sans renier ma foi en Dieu, je doute de l'Église de plus en plus.

Qu'appelez-vous « l'Église » ? Une institution chargée de transmettre des principes immuables concernant la conduite de la vie et de veiller à leur application ? Dans ce cas, votre déception me paraît compréhensible. Les mœurs de notre société ont beaucoup évolué depuis cinquante ans. La mentalité des chrétiens aussi. L'éducation que vous avez reçue considérait les règles morales comme un absolu. L'histoire montre la vanité de cette prétention.

Avez-vous décrit par là la réalité authentique de l'Église ? Vous confessez votre foi en Dieu malgré vos doutes. Le feriez-vous si votre mère ne vous y avait introduit ? Croiriez-vous aujourd'hui si vous n'aviez jamais appartenu à la communauté des croyants ? Pour moi, « l'Église » signifie d'abord ce milieu humain qui m'a permis de découvrir l'amour de Dieu, manifesté en Jésus, toujours à l'œuvre dans l'existence des hommes.

Pourquoi l'Église entendue en ce sens a-t-elle tant insisté sur l'éducation morale ? Elle veut nous apprendre à aimer comme le Christ lui-même nous a aimés. Les préceptes moraux qu'elle enseigne demeurent parfois mal adaptés. Ils n'ont pourtant pas d'autre raison d'être que celle de nous aider à cheminer à la suite du Christ.

Vous parlez de votre vie conjugale au passé. Pourquoi penser que votre échec soit irrémédiable ? Votre foi ne vous invite-t-elle pas à faire confiance en Dieu, en sa capacité de renouveler les cœurs ?

2. *L'Église m'empêche de devenir adulte*

La religion catholique m'apparaît favoriser le rêve et je voudrais m'en affranchir. Par ailleurs, je ressens le besoin de ne pas la quitter totalement. L'enseignement de l'Église infantilise. Il garde les chrétiens dans un état d'obéissance et de dépendance, analogue à celui du petit enfant à l'égard de sa mère. L'Église perpétue chez l'homme le fait que, s'il n'est pas conforme aux lois qu'elle établit, il n'a plus droit à l'amour de Dieu, ni à l'amour des autres. Le catholique doit « coller » à sa mère Église. Pourtant l'adulte se définit par sa capacité d'être différent des autres. Voilà pourquoi je veux me détacher d'une institution qui m'empêche de devenir adulte.

Votre façon de comprendre l'Église rejoint si peu la mienne que je me demande si c'est bien de la même réalité que nous parlons. Vous parlez d'une institution qui viendrait dire à ma place ce que je dois penser, dire et faire en toute circonstance. Et qui me menacerait de l'enfer si je venais à m'écarter du droit chemin. Pour moi, l'Église est autre chose. Elle est le rassemblement de ceux qui écoutent l'Évangile et essaient de le vivre.

L'Évangile m'invite à aimer comme Dieu aime. Il ne prétend pas réglementer ma vie quotidienne. Il ne m'oblige pas à passer ma vie à appliquer des recettes venues d'en haut. Il m'invite à créer des liens d'amour. Il me rend responsable du projet de Dieu. Mais ce projet n'est pas tout fait. C'est à moi de lui donner chair, de l'inventer avec l'aide de l'Esprit et de la communauté chrétienne.

Si je m'écarte de la fidélité à l'Évangile, je me sépare de Dieu, certes, mais Dieu ne se sépare pas de moi pour autant. Je ne suis privé ni de l'amour de Dieu, ni — théoriquement — de l'amour de mes frères et sœurs croyants. Le Christ n'est-il pas justement venu nous dire que notre péché ne nous éloignait pas de la miséricorde de Dieu ? Ne nous a-t-il pas demandé de nous pardonner ? L'Église n'est-elle pas un peuple de pécheurs en marche vers le Royaume ?

Qu'il y ait dans l'Église des chrétiens infantiles qui demandent à l'Église de les maintenir dans leur infantilisme sécurisant, je l'admets. Mais ne confondez pas l'Église avec ces déviations. Pour juger l'Église, allez d'abord à sa source : Jésus-Christ et ses exigences libératrices.

3. *Églises ? Sectes ? On s'y perd !*

Des témoins de Jéhovah sont passés chez moi. Ils m'ont parlé de la Bible; ils ont critiqué l'Église catholique qui ne suit pas, selon eux, l'enseignement de la Bible. Un autre jour, mon fils a rencontré dans la rue des jeunes qui lui ont parlé de christianisme mondial. Des jeunes de chez Moon, je crois. Je n'arrive plus à m'y reconnaître dans tous ces groupements qui se disent chrétiens, plus chrétiens que les autres. Sont-ce des sectes ? Faut-il s'en méfier absolument ? Sont-ce des Églises protestantes ? Faut-il les respecter comme des frères désunis ? Comment distinguer les Églises non catholiques des sectes ?

Secte ou Église ? La réponse est simple en ce qui concerne le mouvement de Moon et les témoins de Jéhovah. Elle est beaucoup plus difficile quand il s'agit des mormons et des pentecôtistes, par exemple. Une remarque préalable. Le mot « secte » inclut d'emblée un jugement de valeur négatif, alors que celui d' « Église » impose le respect. Mais la réalité résiste à cette appréciation en noir et blanc. Certaines Églises se comportent à certains moments de leur histoire avec un esprit sectaire qui nous choque, et des sectes, en s'opposant aux Églises officielles, expriment des aspects essentiels de la grande tradition chrétienne que ces Églises avaient refoulés. Il vaut mieux tenter de définir les sectes de façon neutre d'abord, selon des critères psycho-sociologiques.

La secte a la conviction de constituer une élite choisie par Dieu et branchée directement sur lui en permanence, grâce à un fondateur inspiré. Ce dernier bénéficie de révélations divines spéciales qui lui assurent une supériorité absolue sur les Églises traditionnelles. Pour entrer dans la secte, il faut souvent rompre de façon radicale tous ses liens antérieurs, en particulier avec la famille.

La secte détient l'exclusivité de la vérité. L'adepte ne doit pas se laisser contaminer par le monde extérieur. Témoins de Jéhovah et disciples de Moon entrent incontestablement dans cette définition. Mais un jugement moral et théologique doit être aussi porté. Le danger consiste en ce que René Girault et Jean Vernette nomment dans leur excellent livre *Croire en dialogue* (Éditions Droguet-Ardant) « l'esprit sectaire ». Le sectarisme menace toute secte ; il guette aussi les Églises. Il règne lorsque le groupe exerce une telle pression, physique ou morale, sur ses membres que ceux-ci ne sont plus libres d'entrer ou de quitter le groupe à leur gré. Lorsque la Bible n'est pas respectée mais manipulée. Qu'on est loin de l'esprit de Jésus, si respectueux de la liberté des hommes, qui déclarait être venu « non pour être servi mais pour servir et donner sa vie en rançon pour la multitude » (Mt 20, 28).

4. *L'Église contre Jésus ?*

Maintenant que je ne travaille plus, je trouve le temps de lire la Bible. Je me demande pourquoi l'Église catholique s'écarte autant de l'enseignement de Jésus. Jésus dit : « Ne donnez à personne le nom de Père, vous n'avez qu'un seul Père, qui est dans les cieux », mais tous les prêtres se font appeler « mon père ». Jésus condamne toute domination mais l'Église catholique a une hiérarchie bien établie. Jésus demande de ne pas se faire voir quand on prie et quand on fait l'aumône ; à la messe, c'est le contraire qui se passe. Jésus reprend le commandement « Tu ne tueras pas » ; pourtant, quand il y a une guerre, les évêques de chaque camp bénissent les canons pour que Dieu donne la victoire à leur pays !

Chacun des écarts que vous signalez pourrait donner lieu à un débat et à des explications. Mais ces discussions ne changeraient rien à votre constat général : concrètement, l'Église catholique ne vit pas en parfaite conformité avec les exigences posées par Jésus dans les évangiles. J'élargirais volontiers votre observation. L'Église catholique n'a pas le monopole de l'infidélité. Les différentes Églises chrétiennes et finalement tous les chrétiens vivent en contradiction plus ou moins grande avec l'Évangile.

Pourquoi une telle infidélité chez les chrétiens ? Le Nouveau Testament répond à cette question. Ceux qui ont reçu l'Esprit du Christ ne l'accueillent pas sans résistances. Ils sont en marche vers le Royaume, ils ne sont pas encore arrivés. Le péché agit toujours dans l'Église.

« Si nous disons : nous n'avons pas de péché, nous nous égarons nous-mêmes et la vérité n'est pas en nous. Si nous confessons nos péchés, fidèle et juste comme il est, Dieu nous pardonnera nos péchés et nous purifiera de tout ce qui n'est pas droit » (1 Jn 1, 8-9).

Les Églises et les croyants n'ont pas d'autre choix : ils doivent plaider coupable. C'est le contraire qui susciterait le scandale : qu'un chrétien et qu'une Église se prétendent pleinement fidèles, totalement transparents à l'Esprit, sans péchés ! Devant une telle prétention, nous serions en droit de suspecter l'hypocrisie et de chercher les raisons d'un tel égarement.

L'infidélité des Églises chrétiennes nous fait mieux comprendre leur rôle : annoncer le message de Jésus, faire entendre une Parole qui les dépasse et qu'elles ne peuvent jamais s'approprier.

Comprenez-le bien : je ne prêche pas la résignation au mal. Les chrétiens sont appelés à une conversion incessante. Les Églises doivent lutter pour se réformer et devenir plus fidèles au message qu'elles portent. Mais cet effort ne doit pas cacher la vérité : la faiblesse de l'homme devant l'exigence de Dieu. Voyez comment saint Paul parle de l'Église :

« Ce qui est faible dans le monde, Dieu l'a choisi pour confondre ce qui est fort ; ce qui dans le monde est vil et méprisé, ce qui n'est pas, Dieu l'a choisi pour réduire à rien ce qui est, afin qu'aucune créature ne puisse s'enorgueillir devant Dieu » (1 Co 1, 27).

5. *Qui a fondé l'Église de Rome ?*

D'après la tradition catholique, l'Église de Rome aurait été fondée par les apôtres Pierre et Paul ; l'évêque de Rome serait le successeur de Pierre, le chef des apôtres. Mais la Bible ne confirme rien de tout cela. Quel crédit donner à cette tradition ?

Résumons d'abord ce que nous apprennent les textes du Nouveau Testament sur la fondation de l'Église de

Rome. L'épître aux Romains nous montre l'existence d'une communauté chrétienne à Rome avant que Paul — et vraisemblablement aussi Pierre — ne débarque en Italie. Les Actes des Apôtres indiquent dans quelles circonstances Paul est arrivé à Rome : pour y être jugé après avoir été dénoncé par les Juifs de Jérusalem. L'évangile de Jean, enfin, fait allusion à la mort de Pierre comme à un martyre. On aimerait que la Bible en dise davantage. Toutefois, il n'y a aucune raison de contester le fait que Pierre et Paul soient morts martyrs à Rome sous le règne de Néron.

La présence durable et le martyre des deux apôtres donnent à la communauté chrétienne de Rome, la capitale de l'Empire, une importance particulière. C'est en ce sens qu'il faut entendre l'affirmation qu'elle a été fondée par eux.

Que dit la Bible quant à une fonction d'autorité dans l'Église ? Il est sûr que Pierre a occupé une place privilégiée parmi les apôtres : « Tu es Pierre et sur cette pierre je bâtirai mon église » (Mt 16, 18). Divers textes du Nouveau Testament dessinent la fonction confiée à Pierre : il est pasteur du troupeau, garant de la foi, il a le pouvoir des clefs, c'est-à-dire celui de veiller à l'unité en ce qui concerne la doctrine et la discipline.

Est-il expressément parlé dans la Bible d'une succession de la fonction de Pierre ? Le Christ a-t-il voulu fonder une institution qui traverse l'Histoire, par-delà la personne de Pierre ? Pas explicitement. Mais rien ne démontre non plus que la mission donnée à Pierre doive s'éteindre avec lui. L'autorité reconnue à l'évêque de Rome par la tradition catholique ne peut s'appuyer directement sur le Nouveau Testament. Faut-il, pour cela, refuser de reconnaître cette tradition ? Ce serait absurde. Le Christ n'a pas voulu tout prévoir. Il a laissé aux croyants la responsabilité de construire l'Église et d'inventer ses formes institutionnelles. La tradition catholique apparaît ainsi comme un prolongement et une interprétation de la fonction confiée à Pierre par Jésus.

II

DÉÇUS PAR L'ÉGLISE

6. *Trop de solitudes dans cette Église*

Jeune ouvrière d'usine, je suis croyante mais peu pratiquante. Chaque fois que je participe à la messe, en effet, je ressens une profonde absence de communion entre les chrétiens. Il y a trop de solitudes dans cette église de chaque dimanche : celle des vieillards délaissés, des handicapés, des jeunes en recherche, des étrangers... Personne ne répond à leur attente. On entre à l'église en étranger, on en sort de même. Ce manque d'attention aux autres me paraît contraire à l'enseignement du Christ et il est à l'origine de la perte de la foi chez beaucoup de jeunes. Certes, il y a une évolution dans beaucoup de paroisses, mais ne se fait-elle pas trop lentement ?

Sans en tirer nécessairement les mêmes conséquences, bien des chrétiens portent le même jugement que vous. Le spectacle des messes du dimanche donne trop souvent à penser que la communion des croyants en reste à un niveau abstrait et symbolique sans rapport avec la vie de tous les jours. Beaucoup ressentent cette situation comme contradictoire avec le mystère même qui se trouve célébré dans l'eucharistie : Dieu nous partage sa vie, son corps et son sang, pour que nous la partagions à notre tour entre nous. Ce mystère exprime, achève et transfigure notre existence quotidienne dans la mesure où elle se donne et se partage dans le travail et dans les loisirs, en famille et entre amis.

Les changements que vous réclamez ne peuvent s'opérer qu'avec lenteur pour deux raisons dont chacune pèse lourd. Pendant très longtemps la messe a été vécue comme une dévotion privée et comme un moment de rencontre personnelle avec Dieu. La redécouverte de sa dimension communautaire s'est effectuée très récemment. Vous ne pouvez demander à tous les chrétiens formés religieusement selon la perspective ancienne de renoncer du jour au lendemain à leur façon d'approcher Dieu et d'entrer activement dans une démarche religieuse nouvelle.

L'organisation concrète des paroisses et des célébrations liturgiques constitue un autre aspect des difficultés actuelles. Quand il y a une église et une poignée de prêtres pour des milliers d'habitants, il est impossible matériellement de rassembler les fidèles en groupes suffisamment restreints pour qu'ils aient la possibilité de se connaître et de ne plus demeurer totalement étrangers les uns aux autres. Ce que vous demandez suppose donc un renouvellement profond des institutions actuelles de l'Église ainsi qu'une volonté ferme d'inventer et de mettre en œuvre de nouveaux modes de rassemblement.

La lenteur de la mutation en cours justifie-t-elle un abandon de la pratique religieuse ? C'est ce que vous voudriez me faire admettre, me semble-t-il. Vous êtes croyante, affirmez-vous. C'est-à-dire que vous êtes devenue sensible à un appel de Dieu qui vous demande de le suivre en vivant comme le Christ a vécu. Or, Dieu nous appelle en nous rassemblant en un seul corps. C'est dans son Église qu'Il vient, qu'Il parle. Pas exclusivement, mais de façon privilégiée. Voilà pourquoi, si vous voulez continuer à croire, à entendre la voix de Dieu et à recevoir sa vie, vous ne pouvez vous couper ni de l'Église ni des sacrements. De plus en plus, de jeunes chrétiens trouvent ou suscitent des petits groupes pour partager leur foi et leur vie concrète. Dans ce cadre se constitue lentement une véritable solidarité qui brise petit à petit l'isolement de chacun.

Pourquoi ne tenteriez-vous pas une démarche analogue à partir de ce qui existe déjà autour de vous ou de ce qui ne demande qu'à naître? Je connais quelques paroisses où la célébration du dimanche est animée à tour de rôle par diverses petites communautés de ce genre. Sous leur impulsion, la masse anonyme qui assistait naguère passivement à la messe dominicale se tranforme, prend corps et consistance : le baiser de paix n'y apparaît plus comme un geste creux et dénué de chair. Paroles et rites ne semblent plus venir d'une autre planète mais expriment davantage l'expérience des uns et des autres. Pour ma part, dans de telles eucharisties, je reconnais le visage de l'Église, celle des premières communautés chrétiennes et celle de demain.

7. *Déçue et révoltée par des chrétiens*

Infirmière de vingt-trois ans, ma foi était profonde et vivante. Mais, aujourd'hui, je ne participe plus à aucune messe et je me trouve devant un grand vide. Pourquoi? L'attitude de certains chrétiens et de quelques religieuses avec qui j'ai travaillé m'a déçue à l'extrême et révoltée.

Au lieu de la charité recommandée par le Christ j'ai rencontré envie, jalousie et désir de tout garder pour soi. Je comprends mieux pourquoi des jeunes affluent vers les sectes : ils espèrent vivre un partage sincère et vrai qu'ils ne trouvent pas dans l'Église. Si cela pouvait faire réfléchir les chrétiens !

La violence de votre déception me réjouit et m'inquiète à la fois. Elle signale la permanence de votre foi. Que des chrétiens se ferment les uns aux autres et ne parviennent pas à réaliser un tant soi peu l'amour fraternel demandé par l'Évangile, c'est une constatation quotidienne mais désolante. Un croyant ne saurait s'y résigner. Il y va de la foi elle-même. « A ceci, tous vous reconnaîtront comme mes disciples : à cet amour que vous aurez les uns pour les autres » (Jn 13, 35). L'amour mutuel des croyants les aide à reconnaître la présence active de Dieu au milieu d'eux. Qu'il vienne à manquer, Dieu lui-même se retire et devient problématique.

Gare à l'idéalisme ! Il nous fait exiger des autres ce que nous sommes incapables de donner nous-mêmes. Je ne veux pas défendre à tout prix ceux qui vous ont déçue. Mais êtes-vous sûre qu'un regard bienveillant n'aurait pas discerné en eux une tentative sans cesse reprise pour s'ouvrir aux autres, les aimer et s'en faire aimer ? La charité fraternelle ne va jamais de soi. C'est mon expérience. Un partage sincère et authentique ne se réalise qu'avec du temps, à la suite d'un certain nombre d'épreuves qui révèlent la vérité des relations. Vous parlez des sectes. Je ne mets pas en doute la sincérité ni l'enthousiasme de ceux qui y entrent. Mais le livre d'Alain Woodrow *Les Nouvelles Sectes* montre clairement les limites de ce qui y est vécu. Beaucoup de sentiments et de grandes idées y sont partagées. Pas l'argent, ni le pouvoir, ni la liberté.

Mais pourquoi vous enfermer dans votre déception ? L'amour fraternel se montre plus difficile à réaliser que vous ne le pensiez. Tout ce que nous sommes y est engagé : nos peurs, nos jalousies, notre envie. Pourquoi désespérer ? Dieu ne désespère pas de nous. Faites-lui confiance et vous retrouverez le désir de repartir. De pardonner comme vous avez été pardonnée. D'aimer comme vous êtes aimée. Et souvenez-vous de la façon dont saint Paul décrit la charité fraternelle : « Elle croit tout, excuse tout, espère tout, endure tout » (1 Co 13, 7).

8. *Le poids du rite et du sectarisme*

J'ai vingt-huit ans. Ces derniers temps je remets beaucoup de choses en cause dans ma vie. Entre autres la foi. Je crois en Dieu, car il représente la source d'amour absolu. Mais je ne vois pas très bien la nécessité de lui rendre un culte. Je me sens en dehors de la communauté chrétienne, en même temps, je voudrais participer davantage. En fait, je me sens gênée par l'importance donnée au rite de la messe ; il me semble qu'il n'y a pas vraiment d'échange entre les participants. Je ne comprends pas non plus l'attitude des catholiques qui se considèrent comme les seuls vrais adorateurs de Dieu. J'ai eu l'occasion d'entendre un prêtre traiter de païens les adeptes d'autres religions. J'en ai été très choquée. Certes, ils ne suivent pas les mêmes rites ; ils ne croient pas en Jésus-Christ ni en sa divinité, mais ils croient en Dieu. Pourquoi ce sectarisme ?

Vous remettez en question le sectarisme et l'importance donnée par les chrétiens au culte et aux rites. Je me demande si votre remise en cause ébranle les fondements essentiels du christianisme. Je crois plutôt qu'elle s'attaque à certaines déviations chrétiennes.

L'utilisation du mot « païen » vous a choquée. Le prêtre que vous avez entendu a repris la définition officielle qu'en donne le dictionnaire *Robert*. Est païen ce qui est « relatif à une religion autre que le christianisme, le judaïsme et l'islam ». Le qualificatif n'est pas nécessairement péjoratif ; tout dépend de la façon dont on l'emploie. Le prêtre a-t-il fait preuve de sectarisme en l'utilisant ?

Un autre correspondant m'a donné l'occasion de critiquer ici l'attitude des catholiques qui se considèrent comme les seuls vrais adorateurs de Dieu. Jésus a remis à leur place ceux qui, parce qu'ils étaient les fils d'Abraham, se croyaient meilleurs que les autres. Le critère fondamental de la fidélité à Dieu, c'est l'amour en actes, dit Jésus. La pratique religieuse et la connaissance de la foi chrétienne ne suffisent pas :

« Il ne suffit pas de dire : “Seigneur, Seigneur !” pour entrer dans le Royaume des cieux ; il faut faire la volonté de mon Père qui est aux cieux » (Mt 7, 21).

Les croyants des religions non chrétiennes peuvent être plus proches du Royaume, s'ils aiment, que des catholiques dont la religion reste pavée de bonnes intentions.

Selon vous, les chrétiens ne seraient pas seulement sectaires, ils seraient soumis à l'obligation de rendre un culte à Dieu. Je crains là encore que vous ne vous mépreniez sur la nature du christianisme et, ce qui me paraît plus grave, sur ce que Jésus nous a révélé de Dieu. La vie chrétienne n'est pas soumise à la nécessité, mais à la liberté. Dieu ne veut pas être obéi en tremblant, il veut être aimé par des êtres libres. En principe, ceux qui se rendent chaque dimanche à la messe ne le font pas par peur de déplaire à Dieu. Ils savent seulement la force de l'oubli et de la distraction. Ils veulent se donner les moyens d'entendre régulièrement la parole de Dieu et de célébrer ensemble son amour.

Ne sentez-vous pas vous-même l'importance des rassemblements de croyants ? Croire que Dieu est la source d'amour absolu, c'est bien. Mais comment garder et nourrir en soi cette conviction ? Comment en faire une force de changement concret dans sa vie et dans celle des autres ? Y arriverez-vous sans l'aide et l'exemple d'autres croyants ?

9. *Je me suis retirée de la religion*

Pendant trente ans, j'ai fait entièrement confiance à la religion. Puis, je me suis aperçue que trop de choses y étaient contraires à la vie. Tous ces interdits à grand renfort de sermons, de pieuses lectures, de vacheries entre représentants du clergé. Tout cela ne m'a pas préparée à affronter la vie. Progressivement, je me suis retirée de la religion, non sans heurts avec ma famille. Actuellement, je vous lis et j'ai l'impression que vous essayez de vous mettre à la page. Mais ce que la religion catholique a fait de mal en brimant et en dévalorisant les gens ! Aujourd'hui, comment vous croire avec cette querelle des anciens et des modernes ? Le pape interdit la pilule, certains curés l'autorisent et les chrétiens modernes l'encouragent. Je voulais vous dire ma tristesse. Elle vient d'une déception dont je ne me remettrai pas. A qui faire confiance ?

Merci de votre franchise. Je n'ai pas à discuter une lettre qui exprime votre expérience personnelle. Je ne peux que déplorer avec vous ce qui a conduit le christianisme, religion de l'amour et de la liberté, à brimer et à dévaloriser des personnes. Je vous livre quelques réflexions qui me sont venues en vous lisant.

Les raisons que vous donnez pour expliquer votre déception profonde ne me semblent pas concerner l'essentiel du christianisme, c'est-à-dire le message de Jésus. Vous évoquez, en effet, des interdits, des règles relatives à la contraception, les divisions du clergé et les désaccords entre chrétiens. Est-ce bien la religion chrétienne qui vous a déçue ou bien une morale étouffante, un clergé autoritaire, un ensemble de coutumes familiales et sociologiques se réclamant abusivement de l'Évangile ? L'Église catholique a pour mission d'annoncer à chacun la Bonne Nouvelle de l'amour libérateur de Dieu. Faites-lui l'honneur de la juger sur sa fonction première et non sur ses développements secondaires. Sinon, vous risquez de jeter le bébé avec l'eau du bain et de passer à côté de ce que les croyants portent de meilleur.

Vous ne vous êtes pas remise de la déception que vous a infligée la religion. Vous lui avez fait confiance pendant trente ans. Un jour, vous vous êtes aperçue que cette confiance donnée, on la retournait contre vous. Mais vous êtes-vous demandé pourquoi vous vous étiez laissée abuser pendant trente ans ? Pardonnez-moi d'être cruel. Mais n'étiez-vous pas d'une certaine façon consentante ? Aujourd'hui encore, on dirait que vous avez la nostalgie de cette période « innocente » de votre vie, où la religion semblait miraculeusement préservée du mal : vous n'arriverez pas à vous remettre de votre déception. Cette déception ne vous empêche-t-elle pas d'aller de l'avant ?

« A qui faire confiance ? » demandez-vous. Pourquoi pas à Dieu lui-même et à la parole de l'Évangile ? En sachant désormais que la confiance que vous pouvez faire aux représentants du clergé, aux lectures pieuses et à la morale traditionnelle a des limites. Elle n'exclut pas l'esprit critique. Pourquoi ne pas faire confiance à l'Esprit Saint que Dieu donne à ceux qui le lui demandent ? Il vous fera discerner le bien du mal, le vrai visage de Dieu de ses contrefaçons, les authentiques témoins des faux prophètes, votre vrai désir de Dieu des fausses idéalisations.

10. *J'accuse l'Église d'abus de confiance*

J'ai seize ans. J'annonce la couleur en affirmant que la communion solennelle est le plus infâme piège que je connaisse. J'avais treize ans quand je l'ai faite. Mes parents m'avaient laissée libre, mais qui étais-je à l'époque, sinon un gosse qui tenait à les rendre heureux ? Pourtant, quand j'ai vu ce carnaval blanc, les copains d'école jouer leur pièce, ça m'a fait vraiment mal. Quand il a fallu dire que l'on renonçait à Satan pour suivre Jésus, je me suis senti lâche et bête. Les cadeaux et les sourires familiaux ont posé un baume sur ma plaie. Ensuite, j'ai réfléchi, j'en bavais des vertes et des pas mûres. Était-ce là la grâce de Dieu ? Trop gentil de sa part ! Je suis devenu athée. Que Dieu existe ou non, je m'en moque à présent, cela ne change rien à mon moi intime. Il y a une semaine, j'ai rêvé que je me mariais mais que je n'aimais pas ma future conjointe. Seulement, j'acceptais parce que tout était prêt et que l'on me pressait de toute part. C'est dire si, à présent, je crains de donner des promesses.

Aujourd'hui, « j'accuse » ! J'accuse l'Église de profi-

ter de la naïveté propre aux enfants pour leur faire signer des contrats dont ils ne mesurent pas les conséquences. La profession de foi consacre à vie. Elle doit se faire en pleine possession de ses moyens ; elle exige la capacité de jugement que l'on acquiert après l'adolescence. Les gosses n'en mourront pas, mais cela reste de l'abus de confiance. On devrait l'attaquer en justice comme un crime égal à celui de la scientologie.

Votre lettre est un cri et votre rêve me frappe. Vous vous voyez obligé d'engager toute votre existence, définitivement, contre votre gré. Vous êtes soumis à des contraintes qui vous empêchent de vivre votre vie et vous forcent à en jouer une autre. L'Église vous apparaît comme l'une de ces contraintes. Plus subtile que les autres parce que plus intérieure. Elle vous force à promettre ce qui n'a pas de sens pour vous. Elle utilise le chantage affectif : qu'est-ce qu'un enfant ne ferait pas pour rendre ses parents heureux ?

Je ne peux me trouver d'accord avec vous. Pour moi, la foi est un acte libre, de plus en plus libre. Bien sûr, tout comme vous, j'ai d'abord reçu et accepté le christianisme parce que mes parents étaient croyants et parce qu'ils désiraient que je le devienne. Mais, au fur et à mesure que j'ai pris mon indépendance, j'ai choisi de croire et je me suis senti personnellement responsable de ma foi. D'autres, dans ma famille ou parmi mes camarades d'origine chrétienne, ont pris librement des options différentes.

Autrement dit, l'éducation religieuse reçue dans notre enfance, à l'âge où nous dépendons matériellement et affectivement de nos parents, ne nous détermine pas à vie. Nous ne vivons plus à une époque de chrétienté où le refus d'appartenir à l'Église et de confesser la foi commune revenait à s'exclure de la société, avec toutes les conséquences que cela pouvait entraîner. La profession de foi n'est pas, en fait, un contrat qui nous obligerait jusqu'à la fin de nos jours.

Elle est une étape de notre vie religieuse. La vôtre vous a-t-elle empêché de prendre des distances à l'égard du christianisme lorsque vous avez acquis la conviction que votre moi intime ne se sentait plus concerné par Dieu ?

Reste votre accusation sur la profession de foi elle-même : la vôtre fut inauthentique. Il n'y avait pas de correspondance entre ce que vous sentiez et ce que vous aviez promis, entre votre démarche et la portée qu'elle avait aux yeux de votre famille, de vos éducateurs et de votre communauté chrétienne. L'histoire explique en partie votre sentiment. La profession de foi fut d'abord la communion solennelle à une époque où les enfants ne recevaient pas le sacrement de l'eucharistie, où la communion privée n'existait pas. L'accès à l'eucharistie marquait la fin de la période de l'initiation chrétienne; elle couronnait l'enseignement du catéchisme et elle permettait de devenir chrétien à part entière. La communion solennelle se faisait à l'âge où l'on entrait dans la vie adulte. Beaucoup plus tôt qu'aujourd'hui. Les études étaient moins longues, la vie professionnelle commençait vite.

Par ailleurs, une prise de conscience s'est opérée dans l'Église concernant la foi. Il ne s'agit plus d'un savoir tout fait qu'il faudrait avaler ou rejeter en bloc. Ni d'un ensemble de comportements qu'il faudrait jurer de respecter. La foi apparaît beaucoup plus comme une relation vivante à Dieu par le Christ, une découverte progressive au fil des jours. L'initiation chrétienne n'est jamais finie. Dans cette perspective, la profession de foi n'est pas le dernier engagement. Encore une fois, elle n'est qu'une étape dans un itinéraire.

Certes, il y aurait abus de confiance de la part de l'Église si elle attendait d'un jeune de douze ans qu'il renouvelle ses vœux de baptême avec le sens des responsabilités et la détermination d'un adulte. Est-ce vraiment le cas ? Une enquête de *La Vie* le montre : dans beaucoup de paroisses, la profession de foi devient une célébration où chacun est libre d'affirmer ou non sa volonté de suivre le Christ. Il peut témoigner devant les autres de la façon dont il vit l'Évangile. Il peut aussi exprimer ses questions. Souhaitons que les professions de foi célèbrent en vérité la démarche des enfants et pas seulement le désir des parents et de la communauté sur eux.

III

UNE ÉGLISE INFIDÈLE A L'ÉVANGILE

11. *Trop d'égoïsme chez les « bons chrétiens »*

Combien sont-ils ceux qui se disent « bons chrétiens pratiquants », qui ne manqueraient pour rien au monde la messe dominicale et qui n'apportent pas à ceux qui les entourent le soutien dont ils auraient besoin ?

Maman célibataire, j'ai vu une famille chrétienne amie nous délaisser ma famille et moi. De toutes les dames qui faisaient partie du même groupe catholique que ma mère, une seule a osé nous rendre visite et nous apporter son aide. Et les « bonnes âmes » du quartier n'ont pas manqué de venir nous sermonner.

Inutile de vous dire que devant un tel étalage d'égoïsme et d'hypocrisie, nous préférons vivre notre christianisme d'une façon plus vivante, nous occuper des plus démunis et de ceux qui sont privés d'amour, et célébrer entre nous en vérité l'amour de Dieu.

Je me suis reconnu dans le jugement sans complaisance que vous portez sur les chrétiens et sur les communautés croyantes que vous fréquentez. Oui, hélas !

L'Église à laquelle j'appartiens est traversée par des préjugés qui la rendent aveugle à la détresse des hommes et sourde à leurs appels. En elle, le meilleur se mêle au pire dans le cœur de chacun. Porteuse de l'espérance du monde, elle est encore le refuge de la bonne conscience des pharisiens hypocrites. Objet de la miséricorde de Dieu, elle se trouve souvent incapable de la manifester.

A vous lire, toutefois, je me demande si vous n'êtes pas tentée par le risque même que vous dénoncez. Face aux « bien pensants » et aux chrétiens hypocrites dont vous stigmatisez l'égoïsme, vous voudriez que se constitue une vraie Église de vrais chrétiens. N'est-ce pas retomber dans un autre pharisaïsme ? Autrement dit : le chrétien n'est-il pas, par essence et du fait même de sa condition d'homme, pécheur et en chemin vers une conversion qui reste toujours à faire et à refaire ?

Comprenez-moi bien : il ne s'agit pas de se résigner à nos faiblesses et à nos trahisons. Vous avez raison de réagir violemment contre les attitudes dont vous avez fait les frais. Vous avez chèrement payé le droit d'interpeller les chrétiens. Mais quand l'interpellation se transforme en condamnation qui rejette et sépare, ne touche-t-on pas à l'absurdité et au non-sens ? Parce que nous sommes tous pardonnés, il nous faut pardonner à notre tour. Les reproches que nous avons le droit et le devoir de nous adresser les uns aux autres n'ont pas pour objet de séparer l'ivraie du bon grain, mais de nous établir dans une communion plus profonde avec Dieu et entre nous.

Aujourd'hui — plus que jamais peut-être — l'Église nous apparaît multiple et constituée d'un certain nombre de tensions entre des groupes différents qui s'interpellent les uns les autres et qui éprouvent des difficultés à cheminer ensemble. Le dynamisme interne des communautés chrétiennes ne consiste-t-il pas, justement, dans cet effort de chacun à se laisser convertir par la parole de l'autre et à construire entre les croyants une communion véritable ?

12. *Les richesses du Vatican m'exaspèrent*

Étudiante, je me pose bien des questions sur l'éducation religieuse que j'ai reçue. Je relève des contradictions dans la vie chrétienne. En particulier, les richesses de l'Église. Celles du Vatican m'exaspèrent. Jésus a vécu dans la pauvreté; il a parlé aux pauvres et s'est fait condamner par les puissants. Pourquoi l'Église vit-elle le contraire de ce qu'elle prêche ?

Pardonnez-moi, je ne peux me défendre de réagir avec agacement à votre critique. Je ne nie pas l'impression de richesse que donne le Vatican ou l'allure de certains hauts dignitaires de l'Église. J'admets tout à fait qu'elles puissent vous scandaliser, mais j'ai peur que vous ne tombiez dans des clichés qui empêchent de poser avec plus de rigueur la question de la pauvreté de l'Église. C'est vrai, il y a eu des papes et des évêques dans le passé qui ont vécu de façon princière, qui se sont entourés d'une cour et qui se sont préoccupés d'accroître leurs biens et leur pouvoir. Mais est-ce encore le cas aujourd'hui ? Au risque de lasser, je répète que l'Église ne saurait être assimilée ni au clergé ni à sa hiérarchie au plus haut niveau. Le train de vie des curés de campagne ou des prêtres ouvriers, des prêtres de paroisse ou des catholiques miséreux du tiers monde vous scandalise-t-il ?

Le problème doit donc être posé de façon plus précise. A partir de ce que l'Église veut annoncer, c'est-à-dire à partir de l'Évangile. « Chaque fois que vous ne l'avez pas fait à l'un de ces plus petits, à moi non plus vous ne l'avez pas fait », affirme le Christ (Mt 25, 45). Jésus s'est identifié à celui qui a faim, soif, qui est étranger, nu, en prison. Plutôt que d'interroger l'Église sur ce qu'elle a, il faut la questionner sur ses actes, sur ce qu'elle fait ou ne fait pas devant la vie des pauvres.

Les communautés chrétiennes nous aident-elles à nous tourner vers les plus démunis et à nous mettre à leur service ? Partagent-elles concrètement leurs richesses ? Le Dieu qu'elles prêchent est-il bien celui qui veut que tout homme soit reconnu dans sa dignité et dans son droit à vivre et à grandir dans son humanité ? En questionnant ainsi, vous questionnez plus justement. Ce n'est pas un sentiment d'envie et de frustration qui vous anime, ni un désir d'humilier les chrétiens, mais le souci des pauvres.

13. *Les ambiguïtés de l'Église officielle*

Mon mari et moi, nous appartenons à ces jeunes qui ont « glissé » hors de l'Église depuis plusieurs années. Militants dans une équipe d'action catholique, l'Église officielle nous a déçus et révoltés par son ambiguïté. D'un côté, les chrétiens luttent avec les opprimés ; de l'autre, la hiérarchie fait cause commune avec les pouvoirs établis, comme en certains pays d'Amérique latine. Nous n'avons pas voulu rester complices. Pourtant, nous nous sentons chrétiens. Aujourd'hui plus que jamais. Nous souffrons de notre isolement. Nous engager dans une paroisse ? Ce serait rentrer dans le système, qui n'a pas beaucoup changé depuis que nous l'avons quitté. Il nous manque une équipe, d'autres chrétiens qui pensent et agissent comme nous.

Vous avez rompu avec une certaine Église, qui compose avec les plus forts ; vous êtes-vous séparés pour autant de toute l'Église ? Il ne semble pas, puisque vous vous affirmez toujours chrétiens et puisque vous éprouvez le besoin de vous retrouver avec d'autres croyants pour partager votre foi. Je me demande si vous n'êtes pas victimes d'une idée toute faite de l'Église, une idée trop simple et trop systématique.

A vous entendre, l'Église constituerait un bloc homogène et compact. Sans doute êtes-vous piégés par l'image que donnent souvent de l'Église les journaux, les radios et la télévision. En fait, vous ne pouvez juger réellement l'Église en l'assimilant purement et simplement à son visage officiel.

Le concile de Vatican II est particulièrement net à ce sujet. L'Église, c'est d'abord le peuple de Dieu, l'ensemble des chrétiens qui veulent vivre à la suite du Christ. Parmi ce peuple, un certain nombre de personnes occupent des fonctions qui lui permettent de se réunir, de partager sa foi, de célébrer son Dieu. La hiérarchie veille à l'unité du peuple de Dieu. Elle peut prendre la parole en son nom. Elle fait partie du peuple de Dieu, mais elle ne résume pas à elle toute seule la réalité infiniment complexe de ce que l'ensemble des croyants vit, pense et espère.

Autrement dit, pour juger de votre appartenance à l'Église, il faut examiner le rapport que vous entretenez avec les croyants que vous fréquentez. Désirez-vous entrer en relation avec eux, faire une communauté avec eux ? C'est dans cet effort pour vous retrouver avec d'autres chrétiens que vous pourrez rejoindre le désir du Christ de rassembler l'humanité en un seul corps. « Aimez-vous les uns les autres. A ce signe, tous vous reconnaîtront comme mes disciples. » Avez-vous définitivement renoncé à répondre à cet appel ? Sinon, je ne vois pas ce qui vous autoriserait à penser que vous avez « glissé hors de l'Église ».

14. *L'Église a faussé le message du Christ*

Je suis suffoquée par certaines de vos réponses. Vous dénoncez avec ardeur certaines « imageries » : les flammes de l'enfer et la représentation d'un Dieu assoiffé de vengeance, en particulier. Mais qui a induit ces « imageries » dans l'idée de vos correspondants ? Ne sont-elles pas le résultat d'un enseignement névrotique de l'Église, distillé pendant des siècles ? Vous demandez à vos correspondants de laisser tomber ces images. Facile à dire... Quand annoncerez-vous que le Dieu qu'ils cherchent à l'extérieur les habite de l'intérieur et que chaque homme fait partie de son corps ? Le Christ est venu il y a deux mille ans mais la majorité des hommes n'a pas encore entendu son message !

Vous prêchez un converti. Je me reconnais tout à fait dans votre conviction chrétienne fondamentale : Dieu se veut proche des hommes ; il est venu prendre chair en l'un d'entre eux, Jésus de Nazareth ; il désire s'incarner en chacun de nous. Comme je le peux, j'essaie d'annoncer cette bonne nouvelle. J'aime citer ce verset de l'évangile selon saint Jean : « Si quelqu'un m'aime, il gardera ma parole, et mon Père l'aimera, et nous viendrons à lui et nous ferons chez lui notre demeure » (14, 23).

Qu'est-ce qui vous suffoque donc dans certaines de mes réponses ? Ce ne peut être ma critique de certaines images religieuses ; elles vous paraissent provenir d'une maladie de l'esprit. Vous me reprochez plutôt de ne pas assez dénoncer les erreurs de l'enseignement de l'Église, distillé pendant des siècles. Mais je ne vois pas l'intérêt d'une pareille dénonciation.

Imaginer que l'Église s'est fourvoyée pendant des siècles et que notre époque serait la seule à revenir à la pureté originelle de l'Évangile me paraît bien naïf. Une telle idée se heurte à une objection fondamentale. Notre foi s'appuie sur le témoignage des croyants qui nous ont précédés ; comment notre foi actuelle pourrait-elle être fidèle à l'Évangile si celui-ci n'a pu nous être annoncé authentiquement ? L'étude du passé invite à plus de prudence et de modestie.

L'Évangile nous parvient à travers l'héritage de ceux qui nous ont précédés. Cet héritage est complexe. Il charrie l'essentiel et le secondaire, le bon grain et l'ivraie. Notre responsabilité à nous, chrétiens du XXe siècle, consiste à discerner à travers cette profusion l'appel que Dieu nous adresse aujourd'hui. Il nous faut à la fois respecter ce qui a pu aider les chrétiens d'autrefois à croire et retenir de leur témoignage ce dont nous pouvons tirer profit. Chaque génération de croyants est ainsi amenée à réinterpréter la tradition de l'Église en fonction des problèmes nouveaux qu'elle doit affronter.

Réinterpréter certaines images religieuses ne veut pas dire qu'il faille les exclure de l'enseignement de l'Église. Si vous avez bien lu mes réponses à propos de l'enfer ou du jugement de Dieu, vous avez pu constater que je n'ai nié aucune de ces deux réalités, constitutives du Credo. J'ai essayé de préciser le sens qu'elles ont pour moi, à la lumière de ce que la Bible nous dit de l'amour de Dieu pour les hommes. Les flammes de l'enfer : l'image peut exprimer la détresse de l'homme qui se détourne de Dieu. Dieu juge : cela signifie que Dieu a un désir sur l'homme, que l'homme peut accueillir ou non ce désir, qu'entre Dieu et l'homme il y a donc toujours un jugement, que le Christ continue à être en procès avec le monde aujourd'hui.

15. *En conflit avec ma communauté*

J'assure le catéchisme dans ma paroisse, mais je me demande si je ne dois pas arrêter. Je me sens de plus en plus opposé à l'évolution de cette communauté et à l'état d'esprit des responsables.

Partout dans l'aumônerie du lycée que fréquentent mes enfants, dans les célébrations liturgiques du dimanche, je constate le même affadissement. Plus rien ne compte que la communauté. Certes, notre paroisse est devenue plus vivante et plus humaine, mais elle est en train de perdre l'esprit de l'Évangile. Pour l'équipe paroissiale, Dieu se trouve dans les autres. N'est-il pas présent aussi dans le silence de la prière ? Je ne peux taire mon désaccord. Que faire ?

Votre question me paraît essentielle, elle s'exprime de nombreuses manières un peu partout, mais surtout elle concerne Dieu lui-même.

Dieu ne se réduit ni à l'atmosphère confiante d'une communauté, ni à des espérances politiques, ni à des activités charitables. S'il n'était que cela, point ne serait besoin de se retrouver en Église ni de se souvenir de Jésus-Christ. Ce serait plus logique de ne célébrer que les victoires d'un parti, le triomphe sur la misère matérielle ou morale, l'entente d'un groupe amical. Mais non, c'est Dieu qui donne un sens nouveau à l'homme, à la société et à l'Église, ce n'est pas l'inverse.

Ce serait dommage de vous taire. Vos questions interrogent la communauté chrétienne sur sa vérité et sur son identité. A condition que vous acceptiez de vous laisser interroger à votre tour, car Dieu ne saurait se réduire aux seuls espaces intérieurs, à ce que vous ressentez quand vous priez dans la solitude de votre cœur. Dieu n'est pas seulement *votre Père*. Il est *le Père de tous*, et nous appelle à nous rendre *frères* les uns des autres inconditionnellement, et cet appel concerne aussi l'ensemble des relations qui dépendent de notre situation sociale et politique.

Pourquoi vous décourager et vous exiler loin de votre communauté chrétienne ? Vous avez reçu l'Esprit pour en faire bénéficier l'ensemble de vos frères croyants. Toute votre paroisse n'aurait-elle pas à gagner à entendre votre voix et à engager un tel débat ? Votre façon d'enseigner le catéchisme ne porterait-elle pas ? Puisque c'est la foi de toute la communauté chrétienne avec ses diverses composantes que vous voulez transmettre.

IV

LES CHANGEMENTS DEPUIS LE CONCILE

16. *Les cérémonies d'antan avaient du bon*

Autrefois, à la sortie des premières communions, on se disait : « Quelle belle cérémonie on a eue ! » Je n'entends plus ces réflexions aujourd'hui. Les prêtres ont cru qu'il fallait annuler le décorum pour ramener le peuple à Dieu. Quelle erreur énorme ! Je reproche encore à l'Église actuelle de « manipuler » les évangiles. On modifie le texte du Notre Père, on prétend que la traduction ancienne qui date de quinze siècles a été mal faite, on affirme qu'il ne faut pas prendre le texte au pied de la lettre, on déclare en chaire : « Les anges, c'est de la parabole. » Il est temps de redresser la barre. Redonnons aux cérémonies l'éclat d'antan, elles attireront les foules. Ne modernisons pas le texte des évangiles. Le moindre changement ouvre une brèche dans notre foi.

Les deux reproches que vous adressez à l'Église actuelle me semblent devoir être clarifiés. Vous regrettez que les cérémonies aient perdu leur éclat d'autrefois.

Fastes ou dépouillement ? Le vrai problème à propos de la liturgie est-il bien posé quand on le formule en ces termes ?

La liturgie a pour fonction de conduire les chrétiens vers Dieu. Elle les rassemble, elle leur fait écouter la parole de Dieu, elle les aide à accueillir le Christ vivant, elle les amène à se reconnaître comme les divers membres d'un seul corps, le corps du Christ. La question fondamentale à se poser, en matière de liturgie, consiste donc à savoir si une cérémonie a permis aux chrétiens qui se sont réunis de se mettre en présence du Dieu de Jésus-Christ.

L'opportunité du décorum s'évalue selon ce critère. Certains fastes peuvent s'avérer négatifs s'ils transforment les célébrations en spectacles artistiques. En d'autres occasions, ils sont souhaitables, parce qu'ils expriment la solennité et la fête qui s'accordent avec tel ou tel rassemblement.

Vous reprochez encore aux rites actuels de « manipuler » les évangiles. Mais tout changement dans la traduction des textes n'est pas nécessairement une manipulation.

La Bible a été écrite en hébreu en ce qui concerne l'Ancien Testament. Le Nouveau Testament a été rédigé en grec. Depuis plusieurs dizaines d'années, des progrès importants ont été réalisés dans la connaissance littéraire et historique. Ils permettent de déterminer plus exactement le sens des mots bibliques. Certains changements apportés récemment dans le texte français rompent avec nos habitudes. Loin d'ouvrir une brèche dans notre foi, ils nous permettent de mieux comprendre le témoignage des premiers chrétiens et le message de Jésus.

En écrivant cela, je fais simplement remarquer que toute modernisation des textes et tout commentaire inhabituel ne doit pas être automatiquement qualifié de manipulation ! Il y a manipulation quand on fait dire à la Bible ce qu'elle n'affirme pas. Une meilleure connaissance de l'histoire de l'Église vous montrerait que la trahison des évangiles est un phénomène permanent au cours des siècles. Malheureusement.

17. *Pourquoi vouloir imposer un rite ?*

Depuis très longtemps, je souhaitais que la messe puisse se dire en français. La décision du concile m'a réjouie. Mais je ne comprends pas qu'on interdise maintenant la liturgie qui a été celle de l'Église pendant des siècles. Différents rites ne pourraient-ils coexister ? Pourquoi brandir des exclusions qui font se cabrer un certain nombre de gens ? D'ailleurs, le concile lui-même a demandé qu'on n'abandonne pas totalement le latin, si ma mémoire est bonne.

Votre réaction montre votre souci de préserver l'unité de l'Église. Elle appelle aussi un certain nombre de précisions. Tout d'abord, la question du latin dans la liturgie doit être dissociée de celle du rite de la messe. Vous ne vous trompez pas : il est parfaitement possible de célébrer les offices religieux en latin et de les chanter en grégorien. Les instructions romaines sur la liturgie le prévoient expressément.

L'usage du latin n'est donc nullement interdit. C'est l'ancien rite romain, en vigueur depuis le XVIe siècle, qui se trouve abrogé. Depuis le 14 juin 1971, il n'est plus possible à des chrétiens de célébrer la messe de saint Pie V sous peine de transgresser la discipline de l'Église. Pourquoi ce changement ? Le concile avait demandé une rénovation de la liturgie, en particulier celle de la messe, pour deux raisons essentielles qui se complètent. Dans l'Évangile, Jésus invite à une prière qui vienne du cœur et qui ne se réduise pas à des rites extérieurs. Voilà pourquoi le concile a insisté sur la participation des fidèles et sur une simplification de la liturgie. D'autre part, les siècles avaient ajouté des éléments traditionnels. Le concile a demandé un retour à la tradition plus ancienne. Enfin, il a été fait droit à votre souhait de diversité en introduisant un choix de prières eucharistiques qui permet de mieux tenir compte de l'état d'esprit de chaque assemblée.

La rénovation du rite romain n'a donc pas sacrifié à je ne sais quelle mode ou au goût de la nouveauté. Elle a accompli pour le XXe siècle ce que Pie V avait essayé de réaliser au XVIe siècle : permettre à tous les chrétiens de mieux participer à l'offrande du Christ à son Père.

18. *Le décalogue est-il dépassé ?*

Le décalogue, c'est-à-dire la liste des dix commandements, ne figure plus dans les livres répandus le dimanche sur les chaises de nos églises. Est-il encore une donnée de base commune aux diverses tendances qui agitent le christianisme aujourd'hui ? Est-il encore un résumé des exigences formulées dans l'Évangile ? Ma question n'est pas un canular. Si le décalogue est dépassé, que reste-t-il à la piétaille du peuple chrétien comme points de repère pour s'orienter ? Que transmettre aux jeunes s'il n'y a plus d'exigences directrices minimales et si le christianisme n'est plus qu'un simple syndicat des amis de Dieu ?

Votre question me paraît devoir être prise au sérieux, en effet. Oui, les dix commandements donnés par Dieu à Moïse constituent une donnée de base, commune aux diverses confessions chrétiennes et au judaïsme. Rejeter le décalogue est impossible à un chrétien, il lui faudrait rejeter la Bible. Les dix commandements font partie du cœur de l'Ancien Testament. La relation entre Dieu et les hommes y est décrite comme une alliance. Dieu promet à Israël et à toute l'humanité un avenir de bonheur et de paix. En échange, il demande d'observer le décalogue. Les dix commandements ont pour objectif de faire entrer les hommes dans un rapport juste avec Dieu et avec leurs semblables.

Le décalogue est-il également le résumé des exigences formulées dans l'Évangile? Jésus n'a-t-il pas enseigné que l'Ancien Testament devait être dépassé? « N'allez pas croire que je sois venu abolir la loi ou les Prophètes, je ne suis pas venu abolir mais accomplir » (Mt 5, 17). Jésus ne supprime pas le décalogue, il prolonge ses exigences et les porte à leur perfection. Ainsi, il demande plusieurs fois à ses interlocuteurs de suivre les dix commandements. Il les résume et les généralise parfois sous la forme du double commandement de l'amour de Dieu et du prochain.

A ses disciples, le soir du Jeudi saint, Jésus donne un commandement nouveau : « Aimez-vous les uns les autres. Comme je vous ai aimés, vous devez vous aussi vous aimer les uns les autres » (Jn 13, 34). Ce commandement nouveau ne supprime pas les dix commandements, il les inclut mais il va infiniment plus loin. La loi du chrétien n'est plus seulement une liste de préceptes, c'est le Christ lui-même, c'est-à-dire la façon dont il a vécu et aimé.

Le décalogue n'est pas périmé. Il fournit à tous les chrétiens des repères indispensables pour suivre le

Christ. Mais ces repères ne suffisent pas. Vous ne pouvez vous reposer sur eux.

Jésus a réagi tout au long de sa vie contre ceux qui estimaient être en règle avec Dieu et avec leur conscience parce qu'ils respectaient les préceptes du décalogue. Le Christ vous appelle à une transformation encore plus radicale : il s'agit d'aller jusqu'au bout de vous-même dans un amour semblable au sien.

19. *Qu'avons-nous su de Vatican II ?*

Les événements récents me font réfléchir sur le concile Vatican II. Qu'en avons-nous su ? Quelques bribes par-ci, par-là ; mais pas de véritable compte rendu. A la suite du concile, il y a eu des abus, reconnaissons-le. Y aurait-il eu l'« affaire Lefebvre » si certains n'étaient allés bien au-delà de Vatican II ?

N'exagérons pas. Des bibliothèques entières de livres, de conférences et d'articles ont essayé de rendre compte du dernier concile et de le commenter. Ces flots d'encre et de paroles auraient pu s'adapter davantage à la mentalité réelle des chrétiens, c'est vrai. Mais l'ignorance des catholiques s'explique aussi par d'autres raisons.

Le retard de l'Église était tel qu'il a fallu ouvrir des routes nouvelles dans toutes les directions, du rite de la messe aux plus importantes questions théologiques. Le concile précédent, Vatican I, date d'il y a un siècle ! C'est dire la complexité du travail de vulgarisation des textes du concile. On peut se demander aussi si les chrétiens ont fait l'effort de s'informer sérieusement. Tant de catholiques considèrent que le catéchisme leur suffit et qu'il n'y a pas à prolonger leur formation religieuse !

Qu'à la suite du concile il y ait eu des abus, c'est vrai. Mais il n'y a guère de changements importants sans faux pas et sans excès. Ces abus expliquent peut-être la position extrême de Mgr Lefebvre, mais ils ne la justifient pas. On se déconsidère en se justifiant par les abus des autres. Par ailleurs, le concile n'a pas voulu légiférer. Dans ce cas, l'après-concile aurait eu pour tâche de veiller à l'application rigoureuse des textes. Mais non ! Le concile a ouvert les portes et les fenêtres de cette vieille maison confinée qu'était l'Église. A nous de poursuivre cet effort d'ouverture et de ne pas arrêter le mouvement dont le concile a été le point de départ.

20. *Vatican II : concile dogmatique ou pastoral ?*

Des amis traditionalistes prétendent que Vatican II n'est pas un concile dogmatique mais seulement pastoral. Par conséquent il ne s'imposerait pas à nous avec la même autorité que les autres. Que pensez-vous de cette argumentation ?

Elle est parfaitement fallacieuse : elle s'appuie sur des apparences mais ne résiste pas à un examen sérieux. Tout d'abord, Vatican II a bien été un concile doctrinal ; il a même promulgué deux constitutions dogmatiques : l'une sur l'Église et l'autre sur la Révélation divine. D'où peut venir une telle confusion ? Sans doute de la déclaration du pape Jean XXIII lors de l'ouverture du concile le 11 octobre 1962. Il indiquait que l'objectif premier ne consisterait pas à définir de nouveaux dogmes mais à faire plus largement connaître au monde la doctrine chrétienne. Il insistait alors sur la nécessité de recourir à une façon de la présenter qui « corresponde mieux à un enseignement de caractère surtout pastoral ». Mais Jean XXIII n'a nullement voulu opposer l'aspect « pastoral » à l'aspect « dogmatique », l'annonce de la foi à son contenu. Vatican II a réaffirmé la foi traditionnelle de l'Église en continuité avec les précédents conciles et il a essayé d'en préciser les enjeux pour le monde de ce temps. Il a été tout à la fois pastoral et dogmatique.

Est-on tenu de suivre l'œuvre non doctrinale du concile, ses directives concernant la liturgie, l'œcuménisme ou les relations avec les non-chrétiens ? Il faut rappeler ici la foi catholique traditionnelle sur l'exercice de l'autorité dans l'Église. Le Christ a confié aux apôtres et à Pierre le soin de paître son troupeau. Cette charge revient aujourd'hui au pape et aux évêques. Le pape peut agir seul ou avec les évêques. Dans les deux cas, il est assuré de l'assistance de l'Esprit Saint. Particulièrement, quand il définit un point important de la foi ou des mœurs, il est soutenu par le charisme d'infaillibilité de l'Esprit.

La réforme liturgique à laquelle s'en prennent les traditionalistes ne met pas directement en jeu les vérités de foi. L'infaillibilité n'est donc pas attachée aux décisions du concile en cette matière. Néanmoins, il ne s'agit pas d'une question périphérique ; il y va de la prière du peuple chrétien. Même dans ce domaine pratique — mais qui touche de près à la vie de l'Église —, le pape et les évêques sont assistés de l'Esprit Saint. Dans ses orientations majeures, cette réforme, décidée par un concile œcuménique, c'est-à-dire rassemblant les évêques du monde entier, approuvée et confirmée par le pape, s'impose donc à nous comme une œuvre de l'Esprit.

21. « *Nouvelle religion* » : *trop facile !*

Personnellement, je ne verrais aucun inconvénient à adhérer à toutes les facilités spirituelles et morales de ce qu'il faut appeler la « nouvelle religion », celle que prêche la nouvelle Église issue du concile. Au contraire. Interpréter à sa guise les textes de la Bible, user de son corps selon son bon plaisir, croire le ciel garanti à tous, pourquoi pas ? Mais est-ce bien la vérité ? Tout cela est-il conforme à la loi de Dieu ? Je n'arrive pas à me convaincre que l'Église se soit trompée pendant des siècles en enseignant le contraire, alors qu'elle était assistée de l'Esprit Saint. Pourquoi sa vérité d'aujourd'hui serait-elle plus vraie que celle d'hier ?

Il m'est impossible de suivre votre raisonnement. Vous parlez d'une « nouvelle religion », d'une « nouvelle Église ». Cela supposerait que le concile de Vatican II ait introduit une cassure définitive avec tout ce qui le précédait. Ce jugement ne résiste pas à un simple coup d'œil porté sur l'histoire de l'Église. En fait, la foi chrétienne n'a rien d'un bloc monolithique et immuable. Elle n'a cessé d'évoluer. Le dernier concile a pris acte d'un changement. Au regard de l'histoire, ce n'est ni le premier ni le plus radical. Ce n'est sans doute pas le dernier.

Vatican II s'est réclamé de Jésus-Christ et de la Bible, il s'est voulu en profonde continuité avec la tradition chrétienne. Lisez les grands textes du concile : ils s'appuient sur les piliers traditionnels de la foi. Le changement que vous sentez si fortement est à chercher ailleurs. C'est bien la même source, le même fleuve, mais les berges se sont modifiées : l'humanité s'est transformée. La société technique et industrielle a bouleversé la nature, les relations sociales, jusqu'à la façon dont l'homme se comprend lui-même. Dieu adresse toujours la même parole. Mais l'homme d'aujourd'hui n'entend plus comme autrefois. Son oreille — ou plutôt sa tête — a changé. Le concile n'a donc pas voulu innover, il a voulu faire entendre Jésus-Christ aux hommes de la seconde moitié du XXe siècle. Il a essayé d'annoncer l'Évangile dans un langage qu'ils puissent comprendre.

Vous parlez enfin de la facilité qui caractériserait l'esprit de l'Église post-conciliaire. Je ne comprends pas le sens de ce reproche. La facilité en soi serait-elle condamnable ? Cela supposerait que la difficulté représente toujours un bien. Dieu ne nous enverrait-il que des épreuves ?

Mais je ne suis pas d'accord avec votre constatation. En s'ouvrant davantage au monde contemporain, l'Église catholique s'est obligée à repenser bien des règles sur lesquelles était faite sa morale. Elle a dû sortir du légalisme. Les chrétiens ne peuvent plus se reposer sur des règles toutes faites, qu'on peut toujours tourner d'une façon ou d'une autre. C'est à eux maintenant de comprendre les situations auxquelles ils se trouvent affrontés et à eux d'y discerner la volonté de Dieu. L'évolution actuelle, loin de faciliter la vie chrétienne, l'a rendue plus compliquée, mais aussi plus adulte.

22. *Le Christ a-t-il changé tout comme l'Église ?*

J'ai soixante-dix-sept ans, je ne sais pas le temps qui me reste à vivre, mais je voudrais mourir en chrétien dans l'Église à laquelle j'ai cru. Mais que sera-t-elle dans un jour très prochain ? Elle change si vite. A une cer-

taine époque, on respectait le prêtre, on le saluait poliment dans la rue. Quant à la morale, il n'y en a plus. Que l'Église évolue, je l'admets. Mais que le Christ ait changé si vite, en si peu de temps, voilà ce que je ne comprends pas. Pouvez-vous me l'expliquer ?

Le diagnostic que vous portez sur le christianisme ne concorde pas avec ce que j'observe moi-même. Le changement est patent, mais il me semble que vous ne le situez pas à sa juste place. Quant au Christ, je ne vois pas ce qui vous amène à penser qu'il ait changé.

Tout d'abord, votre jugement m'apparaît bien pessimiste. Vous citez en exemple la morale. Des valeurs respectées par tous il n'y a pas si longtemps ont disparu dans l'esprit de beaucoup de nos contemporains : sens du sacrifice, valeur du travail, importance de la pureté. Vous en concluez qu'il n'y a plus de morale. Je ne peux tomber d'accord. De nouvelles valeurs ont émergé : solidarité, tolérance, vérité avec soi-même. A mes yeux, l'évolution religieuse ne va pas dans le sens d'un dépérissement mais d'un déplacement que j'attribue principalement à l'évolution de notre société.

Vous faites encore allusion aux marques de respect accordées aux prêtres autrefois. Elles n'ont plus cours aujourd'hui. Faut-il réellement le déplorer ? Cette disparition me semble la contrepartie de la reconnaissance des laïcs comme membres à part entière de l'Église. La participation active de l'ensemble du peuple de Dieu à la vie des communautés chrétiennes constitue un progrès décisif.

En quoi ces divers changements peuvent-ils être attribués à une nouvelle façon de considérer le Christ ? Les nouveautés introduites par le concile Vatican II ont été décidées dans le but de rendre l'Église plus fidèle au Christ. Vatican II a voulu renouveler l'Église ; il n'a pas prétendu annoncer un autre Christ. Comment l'aurait-il pu ? Ce n'est pas à l'Église de définir le Christ. C'est elle qui se définit par rapport à lui. C'est le Christ qui lui donne son identité, sa continuité et son unité.

Vous n'auriez le droit d'affirmer une cassure, dans l'Église et dans le Christ annoncé dans cette Église, qu'à une condition : montrer que Celui auquel se réfère l'Église actuelle n'a plus rien à voir avec le Christ annoncé dans les évangiles et auquel ont cru les générations précédentes. Est-ce vraiment là votre conviction ? Pour ma part, je vois au contraire dans l'histoire du christianisme l'action continue de l'Esprit Saint. C'est lui qui pousse les chrétiens de chaque époque à innover pour annoncer le même Christ à un monde en perpétuel changement.

V

LES SERVICES DANS L'ÉGLISE

23. *Une activité de paroisse, mais laquelle ?*

Après une période d'indifférence, j'ai redécouvert l'importance de la prière, des célébrations liturgiques, et de la vie paroissiale. Depuis quelque temps se pose à moi la question de savoir quelle est ma vocation en tant que laïc. Cela me soucie beaucoup. Quelles possibilités me sont offertes pour avoir une activité de paroisse que je désire profondément ? Que penser du diaconat dans une telle perspective ?

La question que vous posez concerne tous les chrétiens. Baptisés, nous avons tous à vivre à la suite du Christ. Chacun est appelé par son nom, chacun reçoit des dons qui lui sont propres. Chacun a la responsabilité de les faire fructifier pour le bénéfice de tous.

La communauté chrétienne peut demander à tout chrétien des services particuliers, qu'on appelle des ministères. Il n'y a pas que le ministère du prêtre. Celui du diacre est aussi un service de la communauté ; on en redécouvre aujourd'hui l'importance, dans la vie paroissiale principalement. Mais il y a d'autres formes de services dont une communauté chrétienne peut sentir le besoin : soutien fraternel, étude de la Parole de Dieu, éducation de la foi, attention et aide concrète aux exclus de notre société.

Le choix d'un ministère dans l'Église ne dépend pas seulement des capacités personnelles d'un candidat. Il est subordonné à la demande de la communauté chrétienne. Voilà pourquoi, en ce qui vous concerne, c'est avec les chrétiens au milieu desquels vous vivez qu'il faudrait déterminer les services prioritaires de votre paroisse, et parmi eux celui que vous pourriez assumer personnellement.

24. *Prêtres et laïcs : à chacun son travail*

Pourquoi les prêtres abandonnent-ils aux laïcs des fonctions et des activités qu'ils remplissaient autrefois avec plus de compétence ? Je ne pense pas seulement à la lecture des textes liturgiques et à la distribution de la communion. Mais au catéchisme, par exemple ! Bien des catéchistes laïques n'ont pas les connaissances suffisantes pour enseigner. Pourquoi vouloir mélanger les attributions au sein de l'Église ? A chacun son travail et sa responsabilité !

C'est vrai, depuis Vatican II les fonctions commencent à être redistribuées dans l'Église. Schématiquement, la division entre Église enseignante et Église enseignée, entre clercs qui concentrent en leurs mains toutes les responsabilités et laïcs qui écoutent et obéissent fait place à une autre répartition. Les laïcs ont désormais une part plus active.

Les paroissiens et les communautés chrétiennes étaient en train de mourir du fait de l'hypertrophie du rôle du prêtre. Aujourd'hui encore, l'omniprésence du « célébrant » dans bien des liturgies laisse fort peu de place au reste de la communauté. Sans doute explique-t-elle en partie la désaffection de beaucoup de chrétiens, en particulier des jeunes, devant la messe du dimanche. Quelle différence avec les assemblées chrétiennes du temps de saint Paul ! Chacun tenait tellement à exprimer ce qu'il avait reçu de l'Esprit Saint que les célébrations dégénéraient parfois en belle pagaille. Saint Paul dut rappeler à l'ordre les Corinthiens : « Quand vous êtes réunis, chacun de vous peut chanter un cantique, apporter un enseignement ou une révélation, parler en langues ou bien interpréter, mais que tout se fasse pour l'édification commune » (1 Co 14, 26).

Dans la même épître, saint Paul compare la communauté chrétienne à un corps. Le Christ en est la tête. Quantité de membres et d'organes sont nécessaires à la vie du corps. Chaque membre est irremplaçable. Cette comparaison décrit le fonctionnement normal d'une paroisse et d'une communauté. Chaque baptisé apporte à la communauté ce que l'Esprit lui donne en propre. Si l'échange ne se fait pas, le corps reste exsangue. Vous citez l'exemple du catéchisme. Le prêtre garde la responsabilité globale de l'annonce de l'Évangile aux enfants, il veille à ce que cet enseignement reste fidèle à la foi de l'Église. Mais pourquoi devrait-il exercer seul cette responsabilité ? Pourquoi aurait-il automatiquement le charisme de parler aux enfants ?

Dans le nouvel équilibre qui s'instaure, le prêtre garde un rôle spécifique. Lui seul préside les sacrements, convoque l'assemblée eucharistique, veille à la communion avec les autres communautés chrétiennes et avec l'Église universelle. Son ministère propre consiste aussi à construire la vie de sa communauté : permettre à chacun de se développer et de communiquer aux autres les dons particuliers qu'il reçoit de Dieu en vue du bien commun.

25. *Prendre la parole dans les églises*

Pourquoi les prêtres parlent-ils toujours, à l'église? Pourquoi n'écoutent-ils jamais? Il semble qu'ils aient peur de la contestation et de la discussion. Si nous nous aimions les uns les autres comme le Christ nous l'a demandé, nous devrions être capables de nous écouter les uns les autres. Surtout quand il s'agit de notre foi commune. N'avons-nous pas tous le droit à la parole en ce domaine ?

Si votre accusation me paraît bien rapide, votre aspiration semble tout à fait justifiée. Le droit à la parole appartient au peuple de Dieu tout entier, il n'est nullement réservé aux prêtres seuls. Le Nouveau Testament en témoigne à plusieurs reprises. « Soyez prêts toujours à justifier votre espérance devant ceux qui vous en demandent compte » (1 P 3, 10). Jésus lui-même avertit : « Quiconque se déclarera pour moi devant les hommes, je me déclarerai moi aussi pour lui devant mon Père qui est aux cieux » (Mt 10, 32).

Cette confession de foi serait-elle destinée seulement aux non-chrétiens ? Mais les croyants aussi ont besoin du témoignage de leurs frères. Particulièrement à une époque où la foi chrétienne se trouve contestée. La conception que saint Paul se fait des communautés chrétiennes qu'il a fondées rejoint votre requête. Chaque croyant doit faire partager à tous le don qu'il a reçu en propre de l'Esprit. Il ne s'agit pas seulement du pouvoir d'opérer des miracles et des guérisons, mais aussi d'adresser à toute la communauté une parole de foi. Celle-ci peut prendre des formes diverses : interprétation de la Bible, exhortation, discernement spirituel, etc.

Tout baptisé a donc le droit et parfois le devoir de rendre compte de sa foi au Christ. Les prêtres, eux, ont reçu la charge de veiller à la fidélité de ces expressions à la règle de foi de l'Église et de maintenir la communion avec l'Église universelle.

Vous incriminez l'attitude des prêtres, jaloux de leur pouvoir. Je crains que vous ne tombiez dans l'image d'Épinal. La plupart des prêtres que je connais regrettent la timidité de certains laïcs. Donner la parole à qui voudrait la prendre pose aussi bien des difficultés pratiques. Certains s'y opposent par principe. D'autres ont peur qu'elle ne soit accaparée par un courant d'opinion déterminé. Les communautés chrétiennes ont besoin d'apprendre à dialoguer et à s'écouter. Cela ne vient pas du jour au lendemain.

Votre aspiration peut devenir réalité. Vous pouvez créer un groupe d'échanges dans votre paroisse. Pourquoi ne pas aller trouver vos prêtres et envisager avec eux ce qu'il est possible de changer pour que l'Esprit puisse s'exprimer davantage par la voix du peuple chrétien tout entier ?

26. *Faut-il confier la foi aux théologiens ?*

Dérouté par certaines affirmations de théologiens, je m'interroge sur leur fonction. Clemenceau disait que la guerre est une affaire trop grave pour être confiée aux militaires. Je serais tenté d'écrire la même chose des théologiens : la foi est une affaire trop sérieuse pour leur être confiée. Je pense aussi à cet avertissement de l'Évangile : « Il est plus facile à un chameau de passer par le trou d'une aiguille qu'à un riche d'entrer dans le Royaume de Dieu. » L'avertissement ne concerne pas seulement ceux dont la richesse est matérielle, mais aussi ceux qui sont riches de savoir. Par ailleurs, il me semble que plus le niveau de formation et de culture est élevé, plus il est difficile de croire. Le grand savoir n'entraîne-t-il pas souvent dans la déviation diabolique de l'orgueil ?

Votre réaction contre certains théologiens qui vous choquent vous mène trop loin. Vous percevez avec justesse la tentation qui guette ceux qui savent, ou croient savoir. Mais vous généralisez et vous jetez le discrédit sur la fonction même du théologien. Généralisation abusive et dangereuse.

Que des chrétiens confondent croire et savoir, qu'ils utilisent leurs connaissances pour dominer et tromper les autres, qu'ils prennent leur intelligence pour un absolu et leur raison pour un tribunal devant lequel ils font comparaître Dieu, vous avez raison de le dénoncer. La confiance en Dieu qui nous parle à travers la Bible, à travers Jésus, à travers les croyants définit le croyant. L'acte de foi est toujours premier. Ceux qui prétendent savoir qui est Dieu et l'enseigner aux autres sans fonder ce savoir sur leur foi et sur l'Esprit Saint ressemblent à ces scribes et pharisiens que démasquait Jésus.

Mais les excès possibles de quelques théologiens ne justifient pas l'assimilation de la théologie à la richesse qui ferme le cœur et l'enfle d'orgueil. La théologie, c'est-à-dire l'intelligence de la foi, est une part indispensable de toute vie chrétienne. L'homme ne peut faire autrement que de réfléchir à ce qu'il vit. Le croyant ne peut manquer de s'interroger sur ce qu'il croit et sur la façon dont il croit. Le Bourgeois Gentilhomme faisait de la prose sans le savoir. De même, tout chrétien, à sa façon, fait de la théologie. Lui interdire de réfléchir ou de questionner reviendrait à l'amputer d'une part essentielle de son humanité.

Il faut dire plus : l'intelligence est nécessaire au développement de la foi. Tout chrétien se représente Dieu, la foi, les sacrements et l'Église à partir d'images, de mots et de rites. Mais il risque toujours de prendre les mots et les signes pour la réalité même de Dieu. L'intelligence oblige le croyant à se méfier des idoles et des illusions dans lesquelles il est tenté d'enfermer Dieu. Elle l'aide à écouter l'appel souvent déconcertant de Dieu dans sa vie quotidienne ; elle lui permet de rendre compte de sa foi à lui-même et aux autres.

Clemenceau n'aurait pu gagner la guerre sans les militaires. L'Église a besoin de théologiens pour rester fidèle à l'Évangile en esprit et en vérité. N'opposez pas la foi à l'intelligence, le christianisme à la culture, les vrais croyants aux théologiens. La véritable opposition se situe ailleurs : entre une bonne et une mauvaise façon d'exercer son intelligence, sa culture, sa compétence de théologien. La bonne théologie n'est-elle pas celle qui permet aux chrétiens de vivre davantage les béatitudes de l'Évangile ?

VI

LES PRÊTRES

27. *Le véritable prêtre, le seul médiateur*

L'épître aux Hébreux montre que le Christ est le véritable prêtre, le seul médiateur entre Dieu et nous. Plus besoin de prêtres, comme dans l'Ancienne Alliance, sous la loi de Moïse. Le Christ, en se donnant librement sur la croix, a offert l'unique sacrifice. Une fois pour toutes, il nous a réconciliés avec Dieu. Pourquoi y a-t-il encore des prêtres dans l'Église catholique ? N'est-ce pas l'indice d'un retour à l'Ancien Testament ?

Votre question, que les protestants adressent souvent aux catholiques, repose pour une bonne part sur l'ambiguïté du mot « prêtre ». La langue française bloque deux réalités que le grec, la langue du Nouveau Testament, distinguait en utilisant deux expressions différentes : la fonction sacerdotale et le service presbytéral. Qu'y a-t-il sous ces vocables barbares ? La tâche sacerdotale est tenue dans la plupart des religions par des personnages sacrés. Ils sont mis à part des autres et ils sont chargés de négocier les rapports entre la société et le divin. Ils offrent des sacrifices, parlent au nom de Dieu.

Vous le rappelez très justement : le Christ est venu bouleverser l'ordre sacerdotal de l'Ancien Testament. Il est venu accomplir et parfaire ce que les grands prêtres étaient chargés de réaliser : la réconciliation du peuple d'Israël avec son Dieu. Parole de Dieu aux hommes et victime offerte pour le salut de tous, le Christ est notre intermédiaire auprès du Père. Il est le seul prêtre au sens sacerdotal du terme et nul ne saurait s'arroger ce titre à sa place. Il faut tout de même ajouter que l'Église, corps du Christ, prolonge son action. L'ensemble des baptisés, le peuple de Dieu, signifie le Royaume à venir et a pour tâche d'annoncer la bonne nouvelle du pardon aux hommes. En ce sens, l'Église tout entière est sacerdotale.

Le second sens du mot « prêtre » s'enracine dans le Nouveau Testament. Les chrétiens des premiers siècles nommaient « presbytes », c'est-à-dire « anciens », ceux qui avaient un rôle de gouvernement et de conseil dans les communautés chrétiennes. Les prêtres, au sein de l'Église catholique, n'ont pas une charge d'ordre sacerdotal mais ils exercent un service presbytéral. Ce service consiste à veiller à la communion des chrétiens. Il s'agit de rassembler la communauté chrétienne, de présider ses assemblées, en particulier l'eucharistie qui signifie et réalise la présence de Dieu dans la communauté. Le prêtre est encore responsable de la communion entre la communauté locale dont il fait partie et l'ensemble de l'Église.

Vous voyez en quel sens il est nécessaire qu'il y ait des prêtres dans l'Église. Votre interrogation critique a le mérite de nous mettre en garde contre une tentation toujours renaissante : celle d'attribuer à ceux qui sont davantage responsables de la communion de l'Église un pouvoir qui n'appartient qu'au Christ.

28. *La supériorité du prêtre*

Que vous le vouliez ou non, la supériorité du prêtre sur les autres hommes est évidente. Elle ne se situe pas à un niveau de hiérarchie sociale, mais dans la fonction sacrée qu'il exerce, celle de représentant visible du Christ sur la terre. Le prêtre n'est absolument pas le représentant de la communauté, mais celui de Dieu parmi les hommes. Son pouvoir ne vient pas d'en bas, mais d'en haut. Vous rabaissez l'Église au niveau d'une institution humaine, alors qu'elle est d'origine divine.

Le mot de « supériorité » que vous employez n'est pas évangélique. Jésus parle de « service » lorsqu'il s'adresse aux apôtres, et lorsqu'ils discutent pour savoir qui est « le plus grand », il leur présente un enfant. Le prêtre, c'est vrai, n'est pas le « représentant » de la communauté, il est à son service. Dans le Christ, tous les chrétiens forment un peuple sacerdotal, comme l'écrit saint Pierre (1, 2-10), et ceux que nous appelons les « prêtres » doivent aider tout ce « peuple de Dieu » à vivre le sacerdoce unique de son Seigneur.

Parfois, dans l'Histoire, le prêtre a paru se détacher de la communauté chrétienne, comme s'il devait tenir tous les rôles et toutes les responsabilités. Aujourd'hui les laïcs redeviennent actifs et assument des tâches variées : catéchisme, aumônerie d'établissements scolaires, animation de la liturgie, conseils pastoraux, organisation de l'aide au tiers monde, etc. Ainsi, la richesse des dons que Dieu fait à chacun est vécue au service de tous.

Le prêtre a reçu d'en haut la mission d'annoncer l'Évangile, de célébrer l'Eucharistie, de stimuler la communauté. Tous ceux qui vivent un service dans la communauté chrétienne, même s'ils n'ont pas reçu une consécration particulière, peuvent l'exercer comme un don confié par Dieu.

Enfin, prêtres, évêques et papes ont été parfois ou sont encore élus, ce qui n'empêche pas de les considérer comme investis de mission par Dieu.

29. *L'essentiel du service des prêtres*

L'Église actuelle ne signifie plus rien pour moi. Les prêtres font de la politique et s'engagent dans l'action sociale. Mais ils négligent l'essentiel : apporter à ceux qui en ont besoin une aide spirituelle, un approfondissement de la foi.

Vous avez raison d'exiger des prêtres le service de la foi comme service prioritaire. Vous semblez croire que cette tâche essentielle n'est plus assurée aujourd'hui, ou si peu ! Ne généralisez-vous pas un peu vite ? La plupart des prêtres passent beaucoup de temps à faire entendre la Parole de Dieu dans des groupes divers : cercles bibliques, groupes de parents, équipes d'Action catholique, communautés de base.

« Les prêtres font de la politique », reprochez-vous. Que recouvre exactement votre critique ? Ils militent dans un parti ? C'est vrai pour certains mais cela ne concerne qu'une infime minorité. Ils parlent dans l'exercice de leurs fonctions de questions d'ordre social et politique ? Parce qu'ils dénoncent les injustices, les inégalités et la violence de nos sociétés. Parfois avec maladresse. Mais peuvent-ils se taire ? L'appel à la justice sociale est une exigence de l'Évangile. Leur silence trahirait les pauvres et les opprimés, ceux auxquels le Christ s'est identifié.

La foi s'approfondit, se purifie et se vérifie dans la vie de tous les jours. L'amour de Dieu et du prochain s'incarne dans la famille, la vie professionnelle et dans la cité. L'Évangile interpelle notre façon de vivre avec nos enfants, nos parents et nos amis. De même, il exige une conversion profonde des relations de travail, d'argent et de pouvoir. Avec des militants politiques et syndicaux, avec des responsables, les évêques et les prêtres réfléchissent. Ils essaient ensuite d'éclairer la conscience et la foi de chacun. Quoi de plus conforme à leur fonction de pasteurs dans l'Église ?

Les formes habituelles du service de la foi se sont beaucoup modifiées et diversifiées au cours des dernières décennies. Regardez et écoutez vivre l'Église. Vous verrez combien cette extension s'avère nécessaire à sa mission : signifier à tous et à travers toute chose l'espérance du Royaume.

30. *Les prêtres et la politique*

Un prêtre au catéchisme a parlé des laïcs et des prêtres arrêtés et assassinés à cause de leur foi au Christ. Certains parents ont trouvé ces allusions déplacées : un prêtre ne doit pas faire de la politique, ont-ils fait remarquer. Je ne suis pas d'accord avec eux. Je constate qu'il y a des veillées de prière dans plusieurs villes de France et à Paris, pour soutenir les chrétiens persécutés. Pouvez-vous répondre à la question que beaucoup de gens se posent : le prêtre peut-il faire de la politique ?

Pourquoi un prêtre ne devrait-il pas faire de la politique ? Parce que Dieu n'a rien à voir avec la politique ? Je récuse cette réponse, qui me paraît trop naïve et qui fait bon marché de l'histoire. C'est vrai, le Christ a distingué Dieu et César ; il a proclamé que son royaume n'était pas de ce monde, il s'est écarté autant qu'il a pu des querelles partisanes de son temps. Mais finalement, il est mort pour un motif à la fois religieux et politique. Il était accusé auprès de Pilate de troubler l'ordre public et de vouloir se faire roi contre César. Dès l'origine, le christianisme a été suspecté et parfois persécuté, parce qu'il remet en question la prétention totalitaire du pouvoir politique.

Il est une autre raison, tout aussi essentielle, pour laquelle les chrétiens rencontrent la politique sur leur chemin : le commandement donné par Dieu d'aimer son prochain. Le prochain n'est pas seulement celui dont je connais le visage et la voix. Il est aussi celui, anonyme, dont les structures de la société me rendent solidaire. La charité a une dimension nécessairement politique. Pas d'amélioration de la vie des plus défavorisés sans transformations sociales.

Comme tout chrétien, le prêtre est donc amené à intervenir parfois dans la vie politique. Au nom même de l'Évangile. Ainsi l'archevêque de San Salvador a pris la défense des paysans pauvres de son pays, les évêques français ont pris position contre les ventes d'armes et la peine de mort, les papes récents ont condamné la guerre et préconisé le désarmement. S'il n'y a pas incompatibilité théorique entre le prêtre et la politique, peut-être y a-t-il incompatibilité pratique ? Le prêtre exerce un service de présidence et de communion dans une communauté chrétienne, paroisse ou mouvement. Sa neutralité ne s'impose-t-elle pas, dès lors que les chrétiens dont il a la charge n'ont pas les mêmes options politiques ?

Posée ainsi, la question paraît bien réelle. Les évêques français, lors de leur assemblée plénière en 1972, ont publié un texte intitulé « Pour une pratique chrétienne de la politique » (Éd. du Centurion) ; ils y abordent explicitement notre problème. Ils adoptent une attitude nuancée. « L'Évangile n'est pas neutre, font-ils remarquer tout d'abord, les évêques et les prêtres, témoins de l'Évangile, ne le sont pas non plus. En fonction de leur mission d'annoncer l'Évangile à tous, ils peuvent être amenés à des interventions en matière politique qui étonneront. Ils auront à s'en expliquer, mais pas nécessairement à y renoncer. Ils ne sont pas de purs reflets de leurs communautés. » Mais ces interventions dans la vie politique doivent demeurer exceptionnelles. Le cas où les prêtres sont amenés à s'engager comme militants dans un parti, voire à y exercer une charge, peut se présenter. Il doit rester l'exception. Sinon, l'Église donnera l'impression d'être trop centrée sur la politique et les prêtres risquent d'« utiliser leur ministère et leur crédit pour propager leurs options personnelles comme les seules légitimes et possibles ».

Les prêtres peuvent-ils parler de politique dans leurs sermons ? Les évêques n'écartent pas cette possibilité et précisent dans quel esprit le faire. Les prêtres peuvent exercer un triple rôle :

Éveiller les consciences, en évoquant la dimension collective, souvent cachée, de tout problème, en faisant découvrir les exigences évangéliques de la vie politique et sociale, en appelant à plus de responsabilité.

Susciter un regard critique sur les motivations qui conduisent les uns et les autres à l'engagement ou à l'abstention.

Aider les chrétiens à assumer leurs différends en matière politique, en instaurant un climat de respect et de tolérance, en trouvant aussi des formes de confrontation et de célébration d'une foi commune.

31. *Où va le clergé moderne ?*

Je suis mère de huit enfants. Élevés à l'école catholique, ils ont abandonné toute pratique religieuse, à mon grand chagrin. Moi qui ai tant prié dans ma jeunesse, si ce n'était pour communier, je n'irais pas à l'église non plus. Pour y faire quoi ? Depuis longtemps, il n'y a plus de confession ; la communion privée et la communion solennelle ont été supprimées. Dans nos églises modernes — j'habite un appartement récent en banlieue — il n'y a plus ni crucifix ni images de Marie. Pourtant, nous ne sommes pas de purs esprits, nous avons besoin d'images pour fixer notre attention. A la messe, plus de signe de croix, plus de Credo. Tel prêtre dira le Kyrie, tel autre non. Ceux qui ont pour mission de nous parler du Christ ne le font plus. Ils ne nous aident plus à prier ; ils ne parlent plus que de droits à défendre. Je finis par me demander s'il n'y a pas un égarement de la part du clergé. Les résultats ? Il n'y a qu'à voir la façon de vivre de la nouvelle génération !

Selon vous, toutes les difficultés auxquelles s'affrontent aujourd'hui les chrétiens s'expliqueraient par l'égarement du clergé. A cause de la démangeaison qui l'a saisi de vouloir tout changer, les générations plus anciennes ne pourraient plus prier ni entendre parler de Dieu ; quant aux générations plus jeunes, dégoûtées, elles abandonneraient tout sens religieux.

Votre explication est trop facile. Et injustifiée. Je ne

vois pas ce qui vous autorise à affirmer que les prêtres ne parlent plus du Christ. En fait, vous prenez la conséquence d'un phénomène pour sa cause. Les changements introduits par le clergé dans la pratique des sacrements, la décoration des églises et le déroulement de la messe résultent de changements beaucoup plus profonds qui affectent notre société. Deux exemples parmi d'autres. Le christianisme devient minoritaire, il fait l'objet d'un choix, il ne se transmet plus automatiquement, par la force de l'habitude. Les jeunes deviennent beaucoup plus libres de prendre des distances par rapport à la foi de leurs parents. Voyez encore le sens et la manière d'exercer l'autorité. Nos contemporains sont moins disposés à s'en remettre aveuglément à des autorités établies, qu'il s'agisse de l'instituteur ou du curé. Cela explique en partie la rapide désaffection de nombreux chrétiens à l'égard de la confession.

Le clergé a la redoutable responsabilité de faire vivre et prier ensemble des chrétiens qui se situent très différemment par rapport aux changements. Certains refusent toute modification dans les rites et la liturgie, avec l'espoir que dans la religion au moins ils trouveront une permanence et une stabilité. D'autres estiment que l'Église catholique reste inadaptée au monde moderne et que ses efforts d'ouverture restent trop lents et trop timides.

Ne faites pas du clergé un bouc émissaire de tout ce qui ne va pas. Comprenez que les changements qui heurtent votre sensibilité sont dus à l'émergence d'autres types de chrétiens.

32. *Pourquoi le célibat des prêtres et des religieux ?*

Pourriez-vous nous expliquer le motif qui oblige nos religieux et nos prêtres au célibat ? Cette obligation nous vaut tant de critiques de la part des non-catholiques. Il faut le dire, ces critiques sont parfois justifiées. Pourquoi les ecclésiastiques ne pourraient-ils continuer à remplir leur ministère tout en étant mariés ? Pourquoi ceux qui ne peuvent supporter honnêtement leur célibat sont-ils condamnés soit à l'hypocrisie, soit à changer de voie ?

Votre question doit être dédoublée. Vous assimilez trop vite le célibat des prêtres et le célibat religieux. Ils doivent être clairement distingués, comme le montre bien l'histoire de l'Église.

Pendant les quatre premiers siècles de notre ère, le choix de la virginité pour le Royaume et l'exercice d'un ministère dans l'Église n'étaient nullement confondus. Parmi les diacres et les prêtres, certains étaient mariés, d'autres vivaient dans le célibat.

Une évolution s'annonce à partir du IVe siècle, en Occident seulement. Des papes réglementent la vie du clergé : les prêtres ne doivent pas se remarier, ils doivent éviter les rapports sexuels et même la cohabitation avec leur épouse.

Est-il nécessaire d'ajouter que cette discipline eut bien du mal à s'appliquer au cours des siècles suivants ? Une réforme du clergé finit par s'imposer. Elle se fit dans le sens d'une imitation de l'état monastique, qui apparaissait comme le grand modèle de la perfection chrétienne.

Et le deuxième concile de Latran, en 1139, déclare invalide l'ordination des prêtres mariés. Désormais, non seulement les évêques mais aussi les prêtres sont tenus au célibat.

Le célibat fait partie de la définition même de la vie religieuse. Celle-ci est un état de vie délimité par les trois vœux de pauvreté, de chasteté, et d'obéissance. Religieuses et religieux choisissent donc explicitement et publiquement la vie célibataire ; ils entendent consacrer toutes leurs énergies affectives et sexuelles à certaines réalités chrétiennes : le service des pauvres, la prière, l'annonce de l'Évangile, etc.

Par contre, la virginité « n'est pas exigée par la nature même du sacerdoce, ainsi que le montrent la pratique de l'Église primitive et la tradition des Églises d'Orient », déclare le concile Vatican II (Décret sur le ministère des prêtres, n° 16). Le magistère, c'est-à-dire les papes et les conciles, a maintenu malgré bien des contestations la discipline du célibat pour des raisons de « convenance ».

Qu'est-ce à dire ?

Le pape Paul VI s'en est expliqué dans l'encyclique *Le Célibat sacerdotal* (24 juin 1967). Depuis quelques années en effet, les critiques se sont multipliées sur l'obligation du célibat pour les prêtres. Paul VI y répond et justifie sa décision de soustraire cette question aux débats du concile. Pour lui, trois motifs rendent le célibat hautement adapté au ministère des prêtres. Il leur permet de s'attacher plus étroitement au Christ, qui a vécu dans la virginité pour se donner plus totalement à sa mission. Il garantit au prêtre une liberté et une disponibilité plus grandes dans son service pastoral. Enfin le célibat signifie que ce monde terrestre doit passer. Il invite à lever les yeux vers le monde à venir.

Depuis, le pape Jean-Paul a rappelé maintes fois l'importance et les raisons du célibat des prêtres et des religieux.

VII

LES VOCATIONS

33. *Dieu nous tombe dessus : est-ce cela la vocation ?*

Fiancée, mon seul désir consiste à épouser celui que j'aime. Mais la parole d'un sermon me revient et me trouble : « Si Dieu vous appelle, appelle tel ou telle d'entre vous à la vie de prêtre ou de religieuse, répondez oui et avancez courageusement. » Ce passage d'un livre me terrifie aussi : « Vous avez été choisi. Il ne sert à rien de résister. Abandonnez tout, sinon vous serez condamné. » Est-ce cela la vocation : Dieu nous tombe dessus et il faut accepter sous peine d'être rejeté ? La vocation entrave-t-elle notre liberté ?

Quelle conception terroriste du christianisme ! Dieu imposerait à ceux qu'Il aurait choisis une destinée contre leur gré ? La « vocation » tomberait sur de pauvres victimes comme la foudre du haut du ciel ? Ces images effrayantes habitent certains croyants, mais, rassurez-vous, elles ne correspondent pas avec l'ensemble de ce que la Bible nous dit de Dieu et de son attente à l'égard des hommes.

Pensez au peuple d'Israël. Il a toujours eu conscience d'être le peuple élu. Mais cette conscience s'est forgée dans l'expérience historique de l'exode. Dieu s'est révélé comme Celui qui l'a délivré de ses ennemis, qui l'a fait monter du pays d'Égypte vers la terre de la promesse où coulent le lait et le miel. Le choix de Dieu sur Israël apparaît comme une volonté de libération. La vocation d'Israël ? Servir Dieu dans la paix et manifester Sa grandeur au milieu des nations.

La vocation chrétienne, comme la vocation particulière de prêtre et de religieuse, ne saurait entraver la liberté du croyant. Bien au contraire elle consiste à répondre à un appel que Dieu nous adresse pour nous libérer. Nous libérer de tout ce qui nous réduit en esclavage : séductions de l'argent, du pouvoir, de la possession. Nous libérer les uns les autres pour vivre ensemble le bonheur des Béatitudes et pour renaître dans l'Esprit.

Vous semblez imaginer la vocation chrétienne comme l'acceptation passive d'une existence sur mesure, préfabriquée. Quelle illusion romantique ! La vocation n'est pas la révélation instantanée de ce que nous avons à vivre. Elle est une histoire, un chemin. Elle s'appuie sur des instants de clarté où nous percevons une correspondance entre notre attente intérieure et telle parole de l'Évangile ou telle façon de vivre en chrétien. Mais elle ne se réduit pas à une illumination. Si Dieu nous appelle, Il ne nous dicte pas la réponse. Une vocation chrétienne met donc en œuvre notre responsabilité et nos capacités de création. Il s'agit de chercher et de discerner ce que Dieu veut nous dire ; il faut ensuite accepter de nous mettre en marche. Enfin, Dieu ne donne pas de recettes. Avec Lui, il nous faut trouver un chemin, engendrer en nous et autour de nous le Royaume.

Vous êtes fiancée, vous voulez épouser celui que vous aimez. Vivre avec lui l'amour du Christ, telle est la vocation à laquelle Dieu vous appelle. Appel exigeant et libérateur. Non pas terrifiant.

34. *Suis-je faite pour devenir religieuse ?*

Il y a plusieurs mois, j'ai commencé la rédaction d'une nouvelle, que j'ai rédigée à la première personne. Le thème ? Un jour, le pape visite une région, et les religieuses d'un hospice de vieillards emmènent tous leurs pensionnaires. Sauf une religieuse et un malade fort désagréable. La jeune sœur éprouve d'abord une forte irritation à se voir exclue. Elle essaie de sympathiser avec le vieillard, cesse de le considérer comme un malade à protéger et réussit à comprendre sa vie propre. Pourquoi me suis-je assimilée si fort à cette jeune sœur ? Je me demande si ce n'est pas le signe que Dieu m'appelle à la vie religieuse. Mais cette vocation est-elle authentique ? N'est-elle pas le fruit d'une auto-suggestion, une position de repli après une déception sentimentale, l'expression d'une peur du mariage ? Je suis capable de faire beaucoup pour soulager la souffrance des autres, mais je ne suis ni très mystique ni très confiante en moi.

Votre nouvelle me plaît beaucoup. J'imagine que vous avez voulu exprimer l'ambition que vous nourrissez à l'égard de vous-même. Ne pas ruminer sa révolte et le sentiment d'être exclue, mais devenir une femme capable de surmonter ses déceptions et d'entrer en communion avec d'autres personnes blessées par la vie. Grandir dans son humanité, c'est-à-dire dans la capacité de se prendre en charge et dans celle d'entrer en relation avec les autres, voilà qui me paraît une ambition très positive !

Votre désir est-il le signe que Dieu vous appelle à la vie religieuse ? Je manque d'éléments pour vous aider efficacement à répondre à cette question. Quelques impressions quand même. S'identifier à une religieuse n'est pas un signe irréfutable de vocation. Vous décrivez l'existence de cette religieuse comme un service auprès de vieillards et de malades. Un tel service ne suffit pas à définir la vocation religieuse. Pas besoin de s'engager au célibat, de vivre en communauté et de prier longuement pour exercer le métier d'infirmière ou de garde-malade.

Pour discerner si votre idée de vocation religieuse est authentique ou non, interrogez-vous sur l'essentiel : qu'en est-il de votre désir de vivre l'Évangile, de suivre le Christ, de connaître Dieu ? Vous l'évoquez fort peu dans votre lettre. C'est pourtant là le point décisif. Quand Dieu appelle, c'est à cela qu'il appelle. Voyez ensuite quelles formes concrètes peut prendre votre désir de Dieu, en fonction de votre histoire et de votre personnalité. Le discernement que je vous propose ne se fait ni en un jour, ni tout seul. Faites-vous accompagner par un chrétien, une religieuse ou un prêtre. Au besoin, adressez-vous au service des vocations de votre diocèse.

35. *Devenir prêtre : j'hésite*

Je fais mon service militaire. Je pense devenir prêtre mais j'hésite à prendre la décision. J'ai pu constater un certain étonnement chez ma mère. Cette inquiétude est due en partie aux problèmes matériels. Quant à mon père, ma mère et moi avons préféré ne pas lui parler de ce projet pour le moment. Le prêtre a une mission difficile à remplir. Un ami séminariste me disait son trouble devant la perspective de son engagement définitif. Mon projet est né du désir d'effectuer quelque chose d'absolument utile pour faire avancer la justice et l'amour dans le monde à travers le message du Christ qui à lui seul est un exemple. Cet engagement va créer beaucoup de peine à mes parents. Il me vaudra renoncements et sarcasmes. Rendez-moi confiance et mettez-moi en communication avec des jeunes se posant la même question : « Pourquoi pas moi ? »

Vos hésitations me font penser que votre projet n'est pas encore assez mûr. S'il l'était, vous seriez moins impressionné par l'inquiétude de vos parents et le trouble de votre ami séminariste. Il me semble aussi que votre projet n'est pas suffisamment précis. Vous voulez vous rendre utile pour faire avancer la justice et l'amour dans le monde à travers le message du Christ. Je m'en réjouis. Mais ce désir ne rejoint-il pas celui de tout baptisé prenant au sérieux l'Évangile ? Tout chrétien est appelé à témoigner de l'amour de Dieu pour les hommes.

Le service spécifique du prêtre consiste à rassembler la communauté chrétienne, à la garder dans la communion avec l'Église universelle et à présider ses célébrations. Cette fonction de pasteur et le style de vie qu'elle entraîne vous séduisent-ils ? Est-ce à cela que vous vous sentez appelé par Dieu ? Il faut que vous arriviez à mieux discerner l'orientation réelle de votre désir. Profitez du temps de votre service militaire. Parlez à l'aumônier militaire de votre unité et à d'autres jeunes chrétiens auprès desquels vous vous sentez en confiance. Vérifiez la consistance de votre projet : rassembler des personnes autour du Christ, est-ce réellement votre première préoccupation ?

Vous me demandez de vous mettre en communication

avec des jeunes qui se posent la même question que vous. Il existe des groupes d'échange pour les jeunes en recherche de leur vocation dans de nombreux diocèses. Informez-vous dans votre diocèse de résidence ou d'origine en prenant contact avec le responsable du service des vocations.

36. *Les parents, les enfants et l'appel de Dieu*

J'ai lu dernièrement dans une revue chrétienne une phrase qui m'a bouleversée : « Celui qui refuse de donner un enfant à Dieu ne pourra être sauvé. » Je suis une grand-mère. Je connais des parents qui n'ont pas voulu que leur enfant de douze ou quatorze ans les quitte pour devenir prêtre, religieux, religieuse. Aujourd'hui, ces enfants ne viennent plus beaucoup voir leurs parents. Juste punition ? Je pense à la parabole du jeune homme riche. Jésus lui demande de vendre tous ses biens et de le suivre. Le jeune homme riche refuse, car « il avait de grands biens ». Pourtant, Jésus ne l'a pas condamné. Qu'est-il advenu de ce jeune homme ? J'aimerais être éclairée et pouvoir réconforter certains parents.

« Donner un enfant à Dieu », tout d'abord l'expression me choque. Un enfant n'appartient pas à ses parents. Il ne peut faire l'objet d'un troc. Il appartient d'abord à lui-même. Laisser un enfant aller à un petit séminaire, c'est tout simplement respecter son désir et sa volonté de répondre à un appel.

Le non-respect des aspirations religieuses d'un enfant condamne-t-il à jamais les parents ? Non, bien sûr. Un tel mépris est grave, certes. Il révèle une incapacité d'écoute, d'accueil et d'amour de la part des parents. Il est difficile aux adultes de renoncer à tout ce qu'ils ont investi d'eux-mêmes dans leurs enfants. Mais l'heureuse nouvelle apportée par Jésus, c'est que Dieu pardonne aux hommes leurs manques d'amour, aussi graves soient-ils. Il les invite à se convertir et à changer leur cœur.

Vous l'avez bien perçu, Jésus ne condamne pas le jeune homme riche. Il ne le punit pas pour son refus. Il constate seulement combien il est « difficile à ceux qui ont des richesses de parvenir dans le Royaume de Dieu ! » (Lc 18, 24). Il poursuit par une parole pleine d'espérance. Les disciples, déconcertés par ce qu'ils avaient vu, demandent qui peut être sauvé. Jésus leur répond : « Ce qui est impossible aux hommes est possible à Dieu » (Lc 18, 27). Dieu, par l'Esprit qu'il ne cesse de donner à ceux qui le lui demandent, peut ouvrir les yeux et changer les cœurs. L'Esprit peut amener des parents qui considéraient leurs enfants comme leur bien à changer d'attitude et à aimer leur liberté.

Ne vous laissez pas abuser par des phrases qui défigurent le visage de Dieu en le montrant terroriste et dominateur. Dieu veut être librement choisi. Il aime et respecte la liberté des hommes. C'est à ce même respect de l'autre qu'il nous invite.

37. *Je pense à devenir religieuse*

J'ai dix-sept ans. Voilà plusieurs années que je pense à devenir religieuse. De temps en temps, le désir m'en reprend, puis il s'estompe. La première fois, il m'est venu à la suite d'un film retraçant la vie de Jésus : j'ai beaucoup pleuré. Dernièrement, je me trouvais dans ma chambre en train de lire quand j'ai regardé le crucifix. Mes parents ne savent pas ce qui se passe en moi. Que dois-je leur dire ? J'ai peur que mes frères et sœurs ne se moquent de moi.

Avant de proclamer publiquement votre désir de devenir religieuse, il me paraît essentiel que vous arriviez à mieux discerner ce qu'il recouvre. Je ne le vois pas bien clairement à travers votre lettre. Comprenez-moi, je ne suspecte nullement la force de vos sentiments ni la valeur de ce qui se passe en vous. Je vous demande seulement de bien y réfléchir.

Pour exprimer votre désir de vocation, vous mentionnez l'émotion qui vous a saisie, lors d'une évocation de la vie de Jésus, puis en regardant un crucifix. Ce que vous avez ressenti me paraît un appel à vivre comme le Christ, à le suivre dans son amour des hommes jusqu'à la croix. Cet appel, vous l'avez reçu de façon très personnelle ; il rejoint celui que tout chrétien perçoit sous une forme ou sous une autre. En quoi vous incite-t-il à vivre l'Évangile selon la forme particulière de la vocation chrétienne qu'est la vie religieuse ?

Gardez-vous ici d'une erreur de perspective encore trop souvent répandue : la vie chrétienne pure et dure se trouverait chez les moines, religieux et religieuses ; les laïcs se donneraient à l'Évangile avec une moindre générosité. Le concile Vatican II a rejeté cette vision très hiérarchique. Tous les chrétiens, quel que soit leur genre de vie, sont invités à la même exigence ; tous ont une égale dignité.

Il y a plusieurs façons de vivre l'amour du Christ et de l'inscrire dans un engagement définitif, dans un état de vie : le célibat ou le mariage, la vie contemplative ou la vie active, le service des autres dans la société séculière ou dans l'Église. La vie religieuse est l'une des possibilités qui s'offrent à vous. Quelle forme donnerez-vous à votre vocation chrétienne? Quelle façon de vivre permettra de libérer en vous le plus de forces vives pour le Royaume? Vous avez spontanément pensé à la vie religieuse. C'est une bonne chose. Ne figez pas trop vite, pourtant, ce que vous avez pressenti de façon fulgurante. Prenez le temps de confronter votre désir à la réalité : à celle des religieuses d'aujourd'hui en apprenant à les connaître. A la vôtre, en prenant la mesure de vos ressources et de vos limites.

VIII

LES FEMMES DANS L'ÉGLISE

38. *Une Église surtout pour les hommes*

La Vie *demande aux jeunes d'écrire au pape. J'ai cinquante-huit ans, je fais passer ma lettre par vous. Je suis du sexe féminin et, de ce fait, pas tout à fait à l'aise dans l'Église catholique romaine. A Pâques, un prêtre nous a dit : « A la Cène, il y avait avec Jésus onze lâches et un traître. » Et moi de répondre : c'étaient des hommes. Autour de Jésus, il y avait aussi des femmes. Elles sont restées au pied de la croix ; elles furent les premières à entendre la bonne nouvelle de la résurrection.*

Quel dommage que le savoir et le pouvoir dans l'Église soient réservés aux hommes ! Doublement dommage que nos responsables, sans être moines, soient tous célibataires. Dommage encore plus que le dialogue s'engage si lentement dans l'Église ; notre vénéré pape est vraiment le champion des décisions brutales et sans appel. Dommage pour les clercs, dommage surtout pour ceux qui n'ont pas les moyens de se faire une opinion par eux-mêmes. Répondez-moi quand même.

Votre lettre s'adresse au pape, vous le prenez personnellement à partie. Je ne vois pas pourquoi je répondrais à sa place. Vous me demandez pourtant mon avis. Vous me semblez plaider la cause des femmes dans l'Église avec un brin d'excès. Le fait qu'elles aient entouré Jésus au pied de la croix et qu'elles aient été les premières à entendre la bonne nouvelle de la résurrection ne doit pas être interprété trop unilatéralement. Comme s'il manifestait la lâcheté ou la trahison des hommes et le courage ou la fidélité des femmes. Ce fait s'explique aussi par la répartition des rôles sociaux entre hommes et femmes à l'époque de Jésus. Assister à l'agonie des condamnés était sûrement mieux toléré pour les femmes que pour les hommes, qui pouvaient constituer une menace pour l'ordre public. De même, c'était la tâche des femmes d'embaumer le corps des défunts, il est donc normal qu'elles se soient trouvées les premières à se rendre au tombeau.

Sur le fond, je partage votre regret principal. Oui, c'est dommage, à mes yeux, que les structures actuelles de l'Église fassent trop peu de place aux femmes dans les prises de parole publiques. Une évolution importante est en cours. Sa lenteur s'explique en grande partie par le poids de l'Histoire. Mais je voudrais souligner l'importance de votre responsabilité, votre responsabilité personnelle et celle des femmes qui réagissent comme vous. Les structures de l'Église ne s'adapteront à la nouvelle condition féminine que si les femmes trouvent le moyen de se faire entendre, font des propositions et prennent des initiatives.

N'en restez pas aux regrets. Vous vous adressez au pape, adressez-vous aussi aux prêtres de votre paroisse, trouvez avec eux une façon de faire entendre la voix des femmes dans votre communauté chrétienne. Il existe aussi des mouvements qui se donnent pour tâche de changer la situation des femmes dans l'Église. Connaissez-vous, par exemple, le mouvement « Femmes et hommes dans l'Église » ?

39. *La petite place des femmes dans l'Église*

J'ai seize ans, je suis lycéenne et catholique pratiquante. Je m'interroge sur la place qui est laissée aux femmes dans l'Église. Dans la société civile aujourd'hui, la femme acquiert ses droits civiques, prend part à la vie politique et syndicale, accède à des emplois réservés autrefois aux hommes. Pourquoi une promotion de la femme ne se produit-elle pas également dans l'Église ? Le pape, les évêques et les prêtres sont toujours des hommes. Pourquoi cette discrimination ? Qu'est-ce qui justifie que les femmes soient écartées des responsabilités dans l'Église ? D'où vient la méfiance des chrétiens à l'égard de la femme ?

Il faudrait beaucoup de pages pour répondre de façon précise à chacune de vos questions. Je me contente de nuancer votre jugement, d'expliquer les raisons données par les responsables dans l'Église et de reposer en termes différents votre interrogation.

Votre jeunesse vous empêche sans doute de le mesurer à sa juste valeur : une promotion de la femme est en cours dans l'Église. Limitée, certes, mais réelle. Un certain nombre de services autrefois réservés aux clercs et aux hommes sont assurés aujourd'hui par des femmes. La responsabilité du catéchisme repose en grande partie sur elles. Elles prennent part à l'animation des mouvements d'évangélisation, les mouvements d'Action catholique, par exemple. Des femmes appartiennent à des équipes pastorales, certaines sont responsables de paroisses sans prêtres. Enfin, dans la liturgie, des rôles leur sont éventuellement confiés : lectures, commentaires, homélies, distribution de la communion, présidence de réunions de prière.

Les femmes participent davantage aux responsabilités dans l'Église ; en revanche, elles ne peuvent devenir ni prêtres ni évêques ; une déclaration de la Congrégation pour la doctrine de la foi, signée par le pape Paul VI, a réaffirmé cette impossibilité. Approuvant le mouvement actuel de la promotion sociale de la femme, la Congrégation rappelle néanmoins que « l'Église, par fidélité à l'exemple de son Seigneur, ne se considère pas autorisée à admettre les femmes à l'ordination sacerdotale ». Pourquoi ?

La congrégation invoque tout d'abord le fait de la tradition : jamais l'Église n'a admis que les femmes puissent recevoir validement l'ordination presbytérale ou épiscopale. Jésus lui-même, si libre à l'égard des femmes, n'a appelé aucune femme parmi les douze apôtres. Le deuxième argument est tiré de la nature du service que le prêtre exerce dans l'Église. Dans la célébration des sacrements, en particulier dans celle de l'eucharistie, le prêtre tient la place du Christ, qui fut un homme ; il est important que ce soit un homme aussi qui le représente. Le symbolisme de l'Alliance, où le Christ est l'époux et l'Église l'épouse, est ainsi mis en valeur.

Le document se termine par une remarque importante : le fait de réserver aux hommes l'accès au service de prêtre et d'évêque ne doit pas être compris comme la volonté de maintenir une inégalité dans l'Église entre les hommes et les femmes. « L'égalité n'est point identité, en ce sens que l'Église est un corps différencié, où chacun a son rôle ; les rôles sont distincts et ne doivent pas être confondus, ils ne donnent pas lieu à la supériorité des uns sur les autres... »

La remarque finale de ce document me laisse personnellement songeur. Je n'en nie ni la sincérité ni la bonne volonté, mais j'y vois l'amorce d'une contradiction : comment vouloir l'égalité de l'homme et de la femme, à la suite du Nouveau Testament et de Vatican II, tout en réservant aux hommes célibataires l'accès aux responsabilités de gouvernement dans l'Église. L'égalité des sexes affirmée sur le plan des principes dans l'Eglise ne pourra passer dans les faits que si le pouvoir de décider n'est plus l'affaire des hommes exclusivement. Faute de quoi, je ne vois pas comment les femmes pourraient faire réellement entendre leur voix, en particulier sur les problèmes qui les concernent plus directement. En conclusion, votre question sur la place des femmes en suscite chez moi une autre : celle du partage des responsabilités dans l'Église romaine.

40. *Prêtrise : pourquoi pas les femmes ?*

J'ai vingt-deux ans. Je finis des études d'infirmière. Je me demande pourquoi les femmes ne peuvent pas devenir prêtres. Si c'était possible, je me dirais : pourquoi pas moi ? C'est peut-être le chemin que je prendrais.

Le 15 octobre 1976, la Congrégation pour la doctrine de la foi, sur la demande du pape Paul VI, publiait une déclaration sur le problème que vous soulevez[1]. Dans

1. Vous trouverez ce texte dans le n° 1714 de *La Documentation catholique*, pp. 158-164.

cette déclaration, approuvée et confirmée par le pape, la Congrégation « estime devoir rappeler que l'Église, par fidélité à l'exemple de son Seigneur, ne se considère pas autorisée à admettre les femmes à l'ordination sacerdotale ». Pourquoi ? Elle avance deux arguments, l'un tiré de la tradition, l'autre tiré du rôle du prêtre.

Jésus n'a appelé aucune femme à faire partie des douze apôtres. Les apôtres, après l'ascension, n'ont pas confié à des femmes l'annonce publique et officielle du message évangélique. Saint Paul non plus. Jusqu'à nos jours, l'Église catholique et les Églises d'Orient sont demeurées fidèles à l'attitude de Jésus sur ce point. A vrai dire, la question s'est posée seulement aux premiers siècles. Quelques sectes gnostiques ont voulu confier le service du prêtre à des femmes. Les évêques d'alors ont jugé cette pratique irrecevable par l'Église.

La seconde raison tient à la nature du ministère exercé par le prêtre. Lorsqu'il prêche, lorsqu'il célèbre les sacrements, lorsqu'il préside l'Eucharistie, il n'agit pas en son nom propre, il tient la place du Christ. C'est au nom du Christ qu'il prononce les paroles de la consécration. Le prêtre est signe du Christ et ce signe doit être perceptible. Il convient qu'il y ait une ressemblance entre le signe et ce qu'il signifie. Et la congrégation conclut : « Il n'y aurait pas cette ''ressemblance naturelle'' qui doit exister entre le Christ et son ministre si le rôle du Christ n'était pas tenu par un homme : autrement, on verrait difficilement dans le prêtre l'image du Christ. Car le Christ lui-même fut et demeure un homme. »

Aucun de ces deux arguments ne peut vous paraître absolument convaincant. Vous pouvez estimer que les responsables de l'Église catholique suivront un jour l'évolution des Églises protestantes et anglicanes. Quoi qu'il en soit, la discipline actuelle de l'Église est claire.

Ne vous bercez pas d'illusions. Par contre, un certain nombre d'activités autrefois réservées aux prêtres sont aujourd'hui accessibles aux femmes : l'enseignement du catéchisme; l'animation d'aumôneries, de groupes de réflexion ou de prière de paroisses sans prêtres; la réflexion théologique, etc. Peut-être pouvez-vous trouver dans l'un ou l'autre de ces services une responsabilité qui corresponde à votre désir et à laquelle vous vous sentiez appelée par Dieu ?

41. ***Le mal causé aux femmes par saint Paul***

Le dimanche qui suit Noël, on nous a lu à la messe la recommandation de saint Paul : « Femmes, soyez soumises à vos maris; dans le Seigneur c'est ce qui convient » (Col 3, 18). Pourquoi l'Église continue-t-elle à considérer le mari comme le chef de sa femme ? Pourquoi nous fait-elle entendre chaque année les propos de saint Paul qui ont causé beaucoup de mal aux femmes pendant des siècles ? Elle pourrait choisir le passage où Jésus défend la dignité des femmes et dénonce le droit accordé aux maris de répudier leur épouse à leur gré.

Mais non, l'Église catholique ne considère plus que la femme doit obéir à son mari, seigneur et maître de la communauté familiale ! Les textes du concile de Vatican II consacrés au couple et à la famille témoignent d'un changement assez radical des mentalités chez les catholiques. Ils proclament à plusieurs reprises l'égalité fondamentale de l'homme et de la femme. Ils ne distinguent pas leurs responsabilités à l'égard de la famille. Ils parlent de communauté conjugale, communauté de vie et d'amour. Ils refusent le sexisme. « Toute forme de discrimination touchant les droits fondamentaux de la personne, qu'elle soit sociale ou culturelle, qu'elle soit fondée sur le sexe, la race, la couleur de la peau, la condition sociale, la langue ou la religion, doit être dépassée et éliminée comme contraire au dessein de Dieu » (Constitution pastorale sur l'Église dans le monde de ce temps, *Gaudium et Spes*, § 29).

Vatican II nous donne ici une clef de lecture des textes du Nouveau Testament : ils ne sauraient être utilisés pour justifier la domination de l'homme sur la femme, à l'intérieur et à l'extérieur de la famille. Les formules de saint Paul peuvent être complétées : maris, soyez soumis à vos femmes. Tout comme le Christ a donné sa vie pour son peuple, ainsi chaque conjoint est appelé à donner la sienne pour l'autre. La soumission dont il s'agit n'est pas celle qui régit la relation de l'esclave à son maître. Elle est le fruit de l'amour qui se met au service du bien de l'autre.

Le statut social de la femme dans l'Antiquité permet de mieux mesurer et l'enracinement du Nouveau Testament dans la culture de son temps et ce qu'il contient de révolutionnaire. Vous voyez saint Paul accusé de misogynie aujourd'hui. Certes, il demande aux femmes de ne pas prendre la parole dans les assemblées chrétiennes et d'y garder le voile. Mais c'est lui aussi qui écrit : « Vous tous qui avez été baptisés dans le Christ, vous avez revêtu le Christ. Il n'y a plus ni Juif, ni Grec, ni esclave, ni homme libre, ni homme, ni femme : car tous, vous n'êtes qu'un en Jésus-Christ » (Ga 3, 27-28).

42. *Intéressée par la théologie*

Une femme peut-elle devenir théologien ? Quel est exactement le travail d'un théologien ? C'est une perspective qui m'intéresserait personnellement.

Sans le savoir peut-être, vous êtes théologienne. « Théologie » : le mot vient du grec, et signifie « parole sur Dieu ». Sont théologiens et théologiennes ceux qui parlent de Dieu. Tous les croyants sont donc théologiens. Ils se tiennent à l'écoute de Dieu. Ils réfléchissent sur leur expérience de croyants. Ils sont amenés à parler de Dieu, ne serait-ce qu'à leurs enfants et à leurs amis incroyants.

Dans le christianisme, parler de Dieu ne consiste pas à déverser ses fantasmes et ses idées sur Dieu. Les chrétiens croient que Dieu à parlé de Lui-même. Il s'est révélé à un certain nombre d'hommes. Plus : Il s'est révélé à travers un homme, Jésus de Nazareth, Son Fils, Son Verbe. Dieu est le premier théologien. Le théologien chrétien a pour tâche de laisser Dieu parler de Lui-même aux hommes et aux femmes de notre temps. Plus précisément, il annonce aux autres ce que Dieu lui a fait comprendre à travers la Bible, les croyants qui l'ont précédé et le témoignage des chrétiens d'aujourd'hui.

Si tout chrétien est théologien, le théologien professionnel exerce un service particulier dans l'Église. Il aide les communautés chrétiennes à résoudre les problèmes qui se posent à elles. Il peut s'agir d'une question sur l'identité chrétienne ou sur l'annonce de l'Évangile. Grâce aux connaissances qu'il a acquises, le théologien peut circonscrire, clarifier et relativiser le problème. Il apporte la lumière de l'histoire de l'Église et de ce que l'Esprit a inspiré aux chrétiens d'autres époques et d'autres lieux. Il connaît bien l'immense somme d'expériences qu'est la Bible et il peut en résumer l'enseignement sur un point précis. Son rôle ne consiste pas à trancher un débat mais à l'élargir et à faire mesurer les enjeux de la décision à prendre.

Oui, les femmes peuvent devenir théologiennes. Au cours des dernières années, les facultés de théologie ont ouvert leurs portes aux laïcs, donc aux femmes. Dans certaines villes, le nombre des femmes inscrites aux cours dépasse celui des hommes. Quelques femmes enseignent la théologie. De tout temps et en dehors de toute formation universitaire, des femmes ont fait entendre la Parole de Dieu. En 1970, le pape Paul VI a reconnu solennellement ce fait. Pour la première fois dans l'Histoire, il proclamait deux femmes docteurs de l'Église : sainte Catherine de Sienne (1345-1380) et sainte Thérèse d'Avila (1515-1582).

IX

LE CATÉCHISME D'HIER A AUJOURD'HUI

43. *Le catéchisme n'est plus ce qu'il était*

J'ai un enfant au catéchisme et je suis moi-même catéchiste. J'ai assisté à plusieurs rencontres de parents avec l'équipe d'adultes et de jeunes animateurs qui prennent en charge nos enfants. Je constate que cette équipe reste fantomatique à tous les niveaux. De bonnes volontés mais beaucoup d'incompétence. J'en veux à Rome de laisser cette situation se dégrader. Les vocations se font de plus en plus rares, mais Jean-Paul II rappelle que le célibat des prêtres sera maintenu et le sacerdoce des femmes non toléré. A la base, on se débrouille comme on peut. Nos enfants sont les véritables victimes des raidissements de la hiérarchie catholique et du manque de formation des catéchistes. Je le sais par expérience : nous ne faisons pas le poids pour faire passer l'essentiel du message évangélique.

Le statut et le mode de recrutement actuels des prêtres est une chose ; le manque de catéchistes compétents en est une autre. Il ne faut pas mélanger ces deux problèmes. Le faire supposerait qu'il revient naturellement au prêtre d'annoncer la foi aux enfants et que le recours à des laïcs ne serait qu'un pis-aller. Seuls les prêtres seraient-ils habilités et compétents pour enseigner le catéchisme ? Le concile de Vatican II a insisté sur le principe de la collégialité, de la co-responsabilité des divers membres de l'Église. Tous les baptisés reçoivent la mission d'annoncer l'Évangile à la suite du Christ. La catéchèse n'est donc pas l'affaire réservée des prêtres. En France, l'animation du catéchisme par des laïcs existe en de nombreux endroits. Elle est encore plus répandue dans divers pays. En Afrique notamment, l'annonce de la foi repose principalement sur les catéchistes laïcs.

Augmenter le nombre des prêtres en changeant leur mode de recrutement ne suffirait pas à surmonter les difficultés actuelles de la catéchèse. Seule une meilleure formation des catéchistes peut y réussir. Vous le dites fort justement : la bonne volonté ne suffit pas. Chaque catéchiste doit se former, lire la Bible, connaître mieux la tradition de l'Église. Les instruments de formation ne font pas défaut. Des équipes de responsables de l'enseignement religieux existent dans chaque diocèse pour vous aider. Il y a des livres et des revues.

44. *Les envoyer au catéchisme, mais pourquoi ?*

J'ai une petite fille qui aura bientôt huit ans et quatre autres enfants plus petits, qui ne sont pas à moi mais qui me sont confiés à long terme. Tous ces enfants sont baptisés. Bientôt, la question de leur éducation religieuse va se poser. Je me sens écartelée. A la maison, on parle de Dieu sans aller à l'église. Les enfants aiment Jésus et aiment en entendre parler. Mais que va-t-on leur raconter au catéchisme ? De mon temps, c'était une morale et je vois bien maintenant tout ce que ce conformisme avait d'hypocrite. Je n'ai rien contre un enseignement vraiment chrétien, mais j'ai peur de ce côté « bien pensant » qui donne une si bonne conscience à ceux qui « pratiquent ». Je ne veux à aucun prix qu'on leur sépare les bons des mauvais, les Blancs des Noirs, les purs des impurs. J'ai passé beaucoup d'épreuves où nombre de chrétiens pratiquants ne se sont pas révélés positifs à mon égard. A tort ou à raison, cela m'a dégoûtée et je ne suis plus allée à la messe depuis sept ans. Je ne veux pas léser les enfants de leur droit à une éducation religieuse. Mais comment faire pour être honnête ?

Votre expérience personnelle vous a fait découvrir un faux visage du christianisme : bonne conscience, hypocrisie et intolérance. Jésus s'est battu contre ces déformations mortelles de notre relation à Dieu. Vous avez bien raison de vouloir protéger les enfants dont vous avez la charge. Peut-être ne faut-il pas vous faire trop d'illusions à ce sujet ? La tentation du conformisme et de la bonne conscience guette les hommes et même les enfants de façon permanente. L'éducation peut seulement donner des armes pour reconnaître le risque et pour le surmonter. Pas pour l'éliminer.

Empêcher les enfants d'aller au catéchisme et à l'église ne me paraît pas la bonne solution. Tout d'abord, la foi chrétienne ne se vit pas en vase clos. Elle a besoin du témoignage d'autres croyants et de communautés vivantes pour grandir. Il faudra bien qu'un jour ou l'autre vos enfants découvrent la prière collective, la communion dans la foi, une tradition chrétienne qui s'enracine dans une histoire collective.

Par ailleurs, en vous instituant seule initiatrice religieuse de vos enfants, vous risquez de tomber dans une contradiction. Celle d'une intolérance pratique au nom d'une tolérance théorique. Les enfants risquent de comprendre que vous seule détenez la vérité en ce qui concerne la bonne interprétation de la religion et que tous les autres sont des impurs. Une initiation collective au christianisme permet d'éviter ce piège et celui qui consisterait à régler, à leurs dépens, vos comptes avec les « bons chrétiens » qui vous ont fait souffrir.

Tous les chrétiens convaincus et pratiquants ne sont pas des monuments d'hypocrisie et d'intolérance. L'enseignement du cathéchisme ne consiste pas partout à diffuser une morale conventionnelle et autojustificatrice. Allez trouver les responsables du catéchisme dans votre paroisse. Exposez-leur vos craintes, faites-vous expliquer les méthodes, lisez les livres qu'ils utilisent. Je suis persuadé qu'en cherchant vous trouverez une éducation chrétienne qui permettra à vos enfants d'entrer davantage dans l'Église, tout en les aidant à se battre contre les excès que vous dénoncez avec raison.

45. *Les enfants n'apprennent plus rien au catéchisme ?*

Les enfants n'apprennent plus rien. Autrefois, on étudiait le catéchisme. On savait quelque chose. Si la pratique religieuse diminue, si la foi est en baisse, n'est-ce pas parce que l'on ne leur donne pas la doctrine ?

Vous semblez désirer pour vos enfants la formation chrétienne que vous avez vous-même reçue. Votre mémoire est peut-être encore habitée par les questions et les réponses du catéchisme de votre enfance. C'était une formation sérieuse pour ce temps-là. Elle a porté beaucoup de fruits.

Le catéchisme par questions et réponses était un résumé de la religion chrétienne. Il apportait à l'enfant et à l'adolescent un enseignement. Il exprimait tout un élan de vie profonde, toute une vie spirituelle qui naissait de la famille et de la paroisse, deux milieux très nourriciers.

Aujourd'hui les enfants ne se satisfont pas des questions et des réponses toutes faites. Ils ne veulent pas des questions préfabriquées. Ils ont « leurs » questions. Le catéchisme tel qu'il était ne correspond plus à leurs besoins ni à leurs mentalités.

Cela ne veut pas dire que l'Église n'a plus de vérités à proposer, mais qu'elle doit faire accéder à ces vérités, et surtout à la Vérité de Jésus-Christ et de Dieu, par d'autres chemins.

L'important, en effet, c'est moins de savoir des vérités que de connaître Jésus-Christ et par lui Dieu Lui-même. A son père qui lui disait : « On t'apprend plus rien au caté », un enfant de neuf ans répondait : « Si ! au caté on apprend à connaître et à aimer Jésus. »

Aujourd'hui des textes bibliques sont introduits dans les manuels scolaires. Mais au lycée on n'apprend pas à les lire de la même manière, ni dans le même but, qu'au « catéchisme ». Dans un cas on les lit pour se cultiver : la Bible fait partie du patrimoine culturel de l'humanité. Dans l'autre cas on les lit pour stimuler et nourrir la foi.

C'est avec raison qu'on accorde beaucoup d'importance à l'étude de la Bible. En suivant l'histoire du peuple d'Israël, en accompagnant Abraham, Moïse, les prophètes, et surtout Jésus, on apprend à écouter la parole de Dieu dans l'Histoire. On n'en a jamais fini de faire la connaissance de Dieu car Il est vivant dans l'histoire des hommes et dans celle de chacun.

46. *Non aux vieilles croyances sur la vengeance de Dieu*

J'ai accepté d'être catéchiste dans mon village parce que je ne veux pas qu'on dise n'importe quoi à mes enfants. Mais je suis la seule dans le groupe des catéchistes à vouloir réformer les vieilles croyances (le Paradis terrestre, la crainte de l'Enfer, le Dieu vengeur). Nous avons discuté avec notre curé sur les tremblements de terre qui font parfois tant de victimes : selon lui, ils seraient la conséquence du péché. J'ai bondi ! Que faire quand on se retrouve seule à lutter contre de telles croyances ? Où est la religion d'amour de Jésus-Christ ?

Votre souci de fidélité à l'Évangile, votre désir de faire partager aux autres catéchistes et aux enfants ce que vous y avez découvert vous honorent. Vous vous retrouvez seule à rejeter certaines interprétations qui ne vous paraissent pas conformes au message essentiel de Jésus. Ne vous découragez pas. Ne renoncez pas à convaincre les autres.

Tout chrétien soucieux de communiquer sa foi se trouve un jour ou l'autre dans une situation analogue à la vôtre. Il rencontre des chrétiens dont les conceptions lui paraissent sur plusieurs points incompatibles avec les siennes. La tentation me paraît celle de l'intolérance : « Ils ont tort ; j'ai raison ; je coupe les ponts. » L'attitude de Jésus me paraît bien différente. Il a rencontré, lui aussi, des malentendus énormes à propos de Dieu. Il ne s'est pas résigné. Envers et contre tout, il a témoigné de la vérité. Il a fait confiance à la capacité de l'homme d'ouvrir ses yeux et ses oreilles.

Autant que vous le pouvez, témoignez de ce que l'Esprit Saint vous a fait comprendre de Dieu. Faites confiance à la faculté des autres de se remettre en question. Même s'il y faut du temps. L'Esprit les habite, eux aussi, pour les conduire à plus de vérité. Faites appel à des théologiens et à des catéchistes qui ne font pas partie de votre groupe. Le débat que vous avez engagé ne peut qu'y gagner.

Vous ne voulez pas qu'on dise n'importe quoi à vos enfants. Ne vous y trompez pas, ils rencontreront sans doute de fausses images de Dieu. A travers leurs camarades et leurs lectures. Veillez alors à parler suffisamment avec eux pour corriger les fausses croyances et pour les aider à aller plus loin.

Un dernier conseil. Pour ne pas faillir dans votre attachement à l'Évangile et dans votre confiance dans les chrétiens qui vous entourent, approfondissez votre découverte de l'Évangile par des lectures et par la participation à des sessions. Vous y trouverez de quoi voir plus clair en vous-même et de quoi répondre aux objections qui vous sont faites.

47. *Je voudrais faire du catéchisme*

Mère de deux enfants, j'ai dû travailler jusqu'à présent. Aujourd'hui, le salaire de mon mari suffit. Je viens d'arrêter mon activité professionnelle pour m'occuper davantage de mon foyer. J'en suis heureuse mais je voudrais donner un peu de moi-même aux autres. J'ai décidé d'enseigner le catéchisme. Comment m'y pren-

dre ? Faut-il suivre des cours ? Le curé de ma paroisse acceptera-t-il de me confier cette tâche ? Ma vie est si occupée, je ne trouve pas toujours le temps d'assister à la messe du dimanche.

Excellente idée que celle de vouloir enseigner le catéchisme aux enfants de votre paroisse ! C'est une occasion de donner un peu du meilleur de vous-même aux enfants des autres. C'est rendre un service indispensable à votre paroisse. Les nouvelles méthodes de catéchisme insistent sur l'expérience vécue par les enfants. A partir de leur vie de tous les jours, ils découvrent combien Dieu leur est proche et leur parle. Cette nouvelle éducation chrétienne exige plus de travail de la part des catéchistes. Elle doit se faire en petits groupes. Le prêtre ne peut l'assurer tout seul. Il a besoin de la bonne volonté des parents. N'ayez crainte, votre projet intéressera sûrement votre curé.

Vos hésitations vous honorent. Elles portent d'abord sur la difficulté de l'enseignement. Celui-ci est devenu plus complexe qu'au temps où il suffisait d'apprendre par cœur des formules. A la limite, l'éducateur n'avait qu'à lire le texte du manuel et à vérifier si les enfants le récitaient convenablement. Les méthodes actuelles demandent davantage au catéchiste. Elles lui laissent plus d'initiative. Elles sont néanmoins faciles à comprendre dans leurs principes. Des réunions de préparation, des sessions de formation, un livre spécial sont prévus pour vous aider tout au long de l'année.

Vos scrupules concernent aussi votre foi. Avec raison. Il ne s'agit pas seulement de transmettre des informations ni des vérités toutes faites aux enfants, mais vos convictions profondes. Votre responsabilité consiste encore à les introduire dans la vie de l'Église, en les aidant à comprendre son langage et ses rites. Si vous ne participez pas à la liturgie de votre paroisse, comment serez-vous capable de les y initier ? Si votre foi est trop chancelante, les enfants s'apercevront vite que vous n'y croyez pas. Cela ne les incitera pas à prendre l'Évangile au sérieux.

La foi en Jésus-Christ mort et ressuscité tient-elle une place réelle dans votre vie ? Le rassemblement des chrétiens pour prier et célébrer la messe vous paraît-il avoir un sens ?

48. *Qui doit faire le catéchisme ?*

On demande aux parents de faire le catéchisme. Mais n'est-ce pas l'affaire des prêtres ? Comment faisait-on le catéchisme autrefois ? Qui le faisait ?

Je vais sans doute vous étonner. Savez-vous quel est l'évêque qui faisait aux prêtres de son diocèse cette recommandation : « Faites comprendre aux parents qu'ils sont les premiers catéchistes de leurs enfants » ? C'était Bossuet, au XVIIe siècle.

L'abbé Fleury, un prêtre très préoccupé par la formation religieuse des enfants, écrivait en 1721 dans la préface de son *Catéchisme historique* : « Les meilleurs catéchistes seraient les pères de famille si chacun était bien instruit et soigneux d'instruire ses enfants et ses domestiques. Ils feraient beaucoup plus de bien que ne peuvent faire les prêtres et les pasteurs. »

Le problème de la formation chrétienne des enfants ne se posait pas dans les débuts du christianisme : on ne catéchisait que les adultes (les catéchumènes).

Peu à peu, l'initiation chrétienne des enfants s'est

développée. Au Moyen Age, il y avait deux lieux privilégiés pour la formation religieuse des enfants : la famille et l'église paroissiale. Les cérémonies liturgiques, au long de l'année, étaient un moyen efficace pour les faire progresser dans l'intelligence de la foi. Puis on donna l'instruction religieuse dans les écoles. Enfin on en vint à organiser le catéchisme hors des écoles. Dans l'Église orthodoxe, la formation chrétienne se fait encore aujourd'hui par la liturgie. Il n'y a pas de catéchisme.

Dans l'Église catholique on redécouvre l'importance de la famille, de la communauté chrétienne et de la liturgie tandis que le catéchuménat redevient une nécessité, car il y a de plus en plus d'adultes qui ne sont pas baptisés ou catéchisés. Certains pensent qu'on fait appel aux parents à cause du manque de prêtres. C'est vrai, mais en partie seulement. Car nous sommes tous ensemble responsables de l'annonce de la foi.

49. *Depuis quand les livres de catéchisme ?*

Les catéchismes évoluent toujours. Pourquoi changent-ils ? Depuis quand les manuels de catéchisme existent-ils ?

Les manuels de catéchisme existaient avant la découverte de l'imprimerie (1450). Ils étaient écrits à la main. Le plus ancien que nous connaissions, fait sous forme de questions et de réponses, remonte à la fin du VIIIe siècle. Les premiers manuels de formation religieuse étaient composés à l'intention des curés peu ou pas instruits, pour leur donner l'essentiel de ce qu'ils avaient à transmettre aux chrétiens.

Au Moyen Age existaient les « *Biblia pauperum* », albums de peintures destinés aux pauvres, qui racontaient la vie du Christ, ancêtres des catéchismes en images ou des bandes dessinées.

Pendant la Renaissance, on écrivait des manuels qui tenaient compte de la nouvelle culture : la culture humaniste. Ils étaient souvent suspects.

Mais les premiers manuels à porter le nom de catéchisme, c'est Luther qui les écrit. Pour éviter l'émiettement du mouvement protestant, il estime qu'il doit « écrire un sommaire de la foi chrétienne profondément religieux et en même temps profondément pratique ». Aussi, en 1529, il publie en même temps deux manuels : le *Grand Catéchisme allemand du Docteur Martin Luther* et le *Petit Catéchisme à l'usage des pasteurs et des prédicateurs peu instruits*. Calvin fera comme lui. Les catéchismes foisonnent.

En réaction, les manuels catholiques vont, eux aussi, se multiplier. En particulier, le catéchisme de saint Pierre Canisius, celui du concile de Trente (1566), la *Doctrine chrétienne* de saint Robert Bellarmin. Au siècle suivant on verra naître, encore par souci d'adaptation, des catéchismes plus populaires, surtout avec saint Vincent de Paul.

L'histoire des catéchismes est variée. On cherche à offrir les meilleurs moyens de formation chrétienne pour l'époque. Le catéchisme est un instrument qu'il faut adapter pour que l'essentiel soit fait : annoncer la Bonne Nouvelle et donner une intelligence des choses de la foi.

En notre temps de profonde mutation, rien d'étonnant par conséquent que les catéchismes changent. Les recherches faites et celles qui se poursuivent sont nécessaires. Il n'y aura jamais un « catéchisme définitif », cela par fidélité à la Parole de Dieu et par respect pour les hommes à qui elle s'adresse.

X

L'AUTORITÉ DANS L'ÉGLISE

50. *L'autorité des déclarations du pape et des évêques ?*

Quelle autorité faut-il accorder aux déclarations des papes et des évêques ? Dans quelle mesure sommes-nous tenus par les dogmes, les conciles, les encycliques ? Certains s'y réfèrent comme à une vérité absolue et définitive ; d'autres s'appuient seulement sur leur expérience personnelle et considèrent les dogmes comme des contraintes collectives insupportables. Qui croire ?

Ma foi chrétienne ne se confond pas avec mon expérience personnelle de Dieu. Elle consiste d'abord à écouter la parole d'un autre, la Parole de Dieu, et à me laisser transformer par elle. Cette Parole s'est dite en Jésus de Nazareth. Des témoins, les apôtres, l'ont recueillie et l'ont annoncée à d'autres. Finalement, c'est grâce à la Bible et aux chrétiens que j'ai rencontrés, et qui en vivent, que la Parole de Dieu me rejoint aujourd'hui et que j'ose m'affirmer chrétien.

Qui me dit que la Bible que j'ai reçue correspond bien au témoignage des apôtres, de ceux qui ont mangé et bu avec Jésus ? Qui me dit que ceux qui m'ont parlé de Dieu m'ont bien annoncé le Dieu révélé par Jésus et non un autre ? Qui me dit qu'en participant aux activités et à la prière de ma paroisse, c'est une communauté vivant de l'Évangile, et non d'une quelconque idéologie, que j'ai rencontrée ? La fonction du pape et des évêques, le rôle des dogmes et des déclarations des conciles est de m'en assurer : c'est bien la Parole de Dieu proclamée par Jésus qui m'a été transmise. La foi chrétienne ne saurait se passer de ces garanties, j'allais écrire : de ces labels de fidélité.

Mais la fidélité à la Parole de Dieu ne peut pas être confondue non plus avec la fidélité à la lettre de telle déclaration de la hiérarchie ou de tel dogme. « Autre chose est le dépôt même ou les vérités de la foi, autre chose la façon selon laquelle ces vérités sont exprimées, à condition toutefois d'en sauvegarder le sens et la signification », déclara le concile de Vatican II (« l'Église dans le monde de ce temps », § 62). Pourquoi cette distinction ? La Parole de Dieu n'appartient pas seulement au passé. Elle est toujours vivante et actuelle. Nous ne pouvons l'exprimer, la célébrer et l'annoncer qu'avec nos mots, nos cadres de pensée, nos expériences du XXe siècle. Chaque chrétien est donc amené à dire à nouveau la Parole de Dieu au fur et à mesure des événements et des rencontres, en fonction des questions qu'il est bien obligé de se poser.

A chaque époque naissent des théologies plus ou moins élaborées. L'autorité du pape et des évêques est, ici encore, nécessaire pour faire le tri entre les diverses formulations, pour écarter les interprétations aberrantes, pour expliciter telle vérité de foi que l'Histoire vient mettre sous une lumière nouvelle.

Faut-il accorder la même autorité à toutes les déclarations de la hiérarchie, passées et actuelles ? Non, bien sûr. On ne peut donner la même importance à une encyclique qui traite de questions sociales ou morales et à une autre qui porte sur une affirmation centrale de la foi. Par ailleurs, tous les dogmes ne peuvent être mis sur le même plan. « En exposant la doctrine, les théologiens catholiques se rappellent qu'il y a un ordre ou une "hiérarchie" des vérités de la doctrine catholique, en raison de leur rapport différent avec les fondements de la foi chrétienne » (Vatican II, décret sur l'Œcuménisme, § 11).

51. *Quelles sont nos obligations à l'égard du pape ?*

Chrétien actif dans ma paroisse, quoique pratiquant irrégulier, je m'interroge sur les obligations des catholiques à l'égard du pape. Le pape, en tant que chef de l'Église catholique, est aussi, fort naturellement, amené à porter un jugement sur l'évolution des sociétés. En ce domaine, politique au sens noble du mot, je ne me sens pas lié par les positions du Vatican ; elles ont d'ailleurs tellement varié au cours de l'Histoire ! En ce qui concerne le domaine proprement religieux, je voudrais conserver le droit de distinguer l'essentiel de l'accessoire. Par exemple, les directives de Jean-Paul II concernant le port de la soutane et la règle du célibat pour les prêtres me paraissent inadaptées à la situation actuelle de l'Église. Mon point de vue est-il juste, critiquable ou hérétique ?

Avant de répondre de façon précise à vos questions, je voudrais réfléchir avec vous sur la relation d'un catholique au pape. Vous écrivez que le pape est le chef de l'Église catholique. C'est vrai, mais en quel sens faut-il le comprendre ? Le pape est-il chef comme un monarque absolu ? comme un chef de parti politique ? comme un chef d'équipe ?

Successeur de l'apôtre Pierre, le pape est le premier parmi les successeurs des apôtres, à savoir les évêques. Il dirige donc l'ensemble des évêques, tout comme l'apôtre Pierre a animé le groupe des apôtres après la résurrection de Jésus. Avec les évêques, le pape a la responsabilité de veiller sur le troupeau de l'Église, selon la formule de Jésus à Pierre : « Pais mes agneaux, sois le berger de mes brebis » (Jn 21, 15-16).

Cette responsabilité pastorale consiste essentiellement à garder les communautés chrétiennes en communion les unes avec les autres et à garder les chrétiens dans la fidélité à la foi reçue des apôtres. Ajoutons que si cette responsabilité pastorale universelle donne au pape une autorité de chef, cette autorité ne peut s'exercer que comme un service de l'Église. « Vous le savez, dit Jésus à ses disciples, ceux qu'on regarde pour chefs font sentir leur pouvoir. Il n'en est pas ainsi parmi vous. Au contraire, quiconque veut devenir grand parmi vous devra être votre serviteur, et quiconque parmi vous veut être le premier devra être l'esclave de tous. Aussi bien le Fils de l'homme (Jésus Lui-même) n'est-il pas venu pour être servi mais pour servir et donner sa vie en rançon pour la multitude » (Mc 10, 42-45).

Pour accomplir son service dans l'Église, le pape dispose d'un certain nombre de pouvoirs. Un pouvoir de juridiction tout d'abord. Il lui appartient, soit seul, soit avec les évêques réunis en concile, de prendre des décisions concernant le gouvernement de toute l'Église. Ainsi Paul VI a décidé de maintenir les prêtres dans l'état de vie du célibat ; Jean-Paul II aussi. Le pape peut également intervenir dans telle ou telle situation locale sans passer par aucun intermédiaire.

Le pape a aussi le pouvoir d'enseigner l'Église ; depuis le XIXe siècle, cette fonction est nommée magistère (du mot latin *magister* : maître d'école). Il faut distinguer deux formes d'enseignement : le magistère ordinaire et le magistère extraordinaire. Par le magistère extraordinaire, le pape personnellement — ou le pape avec le concile — définit un article de foi qui doit être tenu par tous les catholiques. C'est en cette occasion que le pape est infaillible. Le père Congar résume ce point défini par le premier concile du Vatican (1870). « Lorsque le pape exerce au suprême degré la charge de pasteur et de docteur de tous les chrétiens — dans les limites de sa compétence (foi et mœurs) —, il jouit, dans l'acte par lequel il définit, de l'assistance divine, qui assure à son jugement la qualité d'infaillibilité. »

En fait, les papes engagent très exceptionnellement leur infaillibilité. Cela s'est produit une fois seulement depuis Vatican I, lorsque Pie XII a défini le dogme de l'Assomption en 1950.

Quand le pape s'adresse habituellement à l'Église par ses discours, par ses lettres et par ses encycliques, il exerce le magistère ordinaire; dans ce cas, il n'est pas infaillible. Bien entendu, dans son enseignement ordinaire et extraordinaire, le pape n'est pas libre de dire ce qui lui passe par la tête. Il est soumis à deux critères : la vie de l'Église qu'il est chargé de servir et de promouvoir et en qui agit l'Esprit Saint; la foi des origines fondée sur la Bible et interprétée par la tradition.

En conclusion, vous êtes tenu de croire le pape quand il rappelle le credo de l'Église et les points de doctrine déjà définis par les conciles et les papes précédents, et quand il engage lui-même son infaillibilité. Par contre, en dehors de ces cas, vous pouvez discuter le point de vue du pape sans sortir de l'Église catholique pour autant. Le port de la soutane, l'obligation du célibat pour les prêtres, le jugement du pape sur l'évolution de la société ne sont pas directement liés à la foi reçue des apôtres. Toutefois, parce que la parole du pape vise le bien de l'Église tout entière, parce qu'elle veut rappeler la fidélité à l'Évangile, elle doit être accueillie avec le maximum d'écoute et de véritable humilité. Autrement, vous risquez de passer à côté d'une interpellation concernant votre foi et de manquer à la solidarité avec les autres communautés chrétiennes.

52. *Quand le pape est-il infaillible ?*

Je lis, dans un journal catholique : « Le pape est infaillible en matière de foi et de morale. » L'appréciation me pose des questions. Un point de morale peut-il donc faire l'objet d'un dogme ? Il s'agit, en l'occurrence, d'une réflexion sur la pilule anticonceptionnelle ; l'encyclique de Paul VI, qui porte sur la contraception, peut-elle être marquée du sceau de l'infaillibilité ?

Telle que vous la rapportez, la phrase que vous avez lue dans un journal catholique est incomplète. Elle laisse alors entendre que tout propos tenu par le pape serait parole d'Évangile. Ne divinisons pas les successeurs de saint Pierre. Jésus-Christ seul est le chemin, la vérité et la vie. Quelques précisions sur la doctrine catholique s'imposent.

L'infaillibilité du pape ne se comprend que si on la rapporte à l'infaillibilité de l'Église. « En fait, il n'y a qu'une seule infaillibilité, celle de l'Église, dont le pape est la tête », écrit le père Dupuy dans le *Dictionnaire de théologie catholique*. Cette dernière s'appuie sur la parole de Jésus à ses disciples : « Qui vous écoute, m'écoute ; qui vous rejette, me rejette et qui me rejette, rejette celui qui m'a envoyé » (Lc 10, 16). Le Christ est solidaire de son Église. L'Église, prise dans son ensemble, ne saurait donc faillir, c'est-à-dire tomber en dehors de la foi au Dieu vivant.

L'infaillibilité de l'Église se manifeste aussi dans les décisions que les responsables peuvent prendre pour garder les chrétiens dans la fidélité à la foi reçue des apôtres. Ces décisions peuvent être prises par un concile ou par le pape seul. Mais toutes les déclarations papales concernant la foi et les mœurs ne sont pas marquées du sceau de l'infaillibilité. Pour qu'elles le soient, il y faut plusieurs conditions : que le pape engage sa suprême autorité apostolique, que l'enseignement soit expressément adressé à toute l'Église, que soit clairement formulée la volonté de donner une définition définitive et irrévocable.

En fait, depuis la définition de ce dogme par le concile Vatican I, en 1870, les papes ont engagé leur infaillibilité une fois seulement, en 1950, à propos de l'Assomption. L'encyclique *Humanae Vitae*, qui porte notamment sur la contraception, ne doit donc pas être considérée comme infaillible. La doctrine de Paul VI sur la régulation des naissances, doctrine confirmée par le dernier Synode et par Jean-Paul II, ne s'impose pas aux catholiques comme une vérité définitive et irrévocable, mais comme une règle posée par celui qui a la charge d'orienter l'enseignement de l'Église et d'en assurer l'unité.

53. *La soumission aux dogmes*

Au cours d'une conversation, un ami a violemment critiqué le christianisme : « Quel obscurantisme ! Les croyants doivent se soumettre à des principes moraux et à des dogmes qui n'ont pas à être discutés. Ces principes et ces dogmes doivent être pris tels quels. Quelle humiliation de la raison et du pouvoir qu'a l'homme de penser par lui-même ! Quelle crédulité de la part des chrétiens ! » A vrai dire, je n'ai pas su quoi répondre.

Votre silence et votre perplexité montrent que la critique de votre ami a trouvé en vous un certain écho. Pour ma part, je ne me reconnais pas dans l'attitude infantile qu'il dénonce.

Sa caricature du christianisme me paraît relever d'une double incompréhension. De la foi chrétienne comme de la raison.

Non, la foi n'humilie pas la raison. Elle procède d'une autre attitude humaine. Elle fait librement confiance à la promesse du Christ et à la parole de la Bible.

Elle s'en remet au témoignage des croyants qui nous précèdent et nous entourent. Mais les chrétiens ne se soumettent pas aveuglément à des chefs qui leur diraient ce qu'ils doivent penser et faire. L'Évangile propose un sens, un esprit, un chemin. Il reste à chaque croyant à le vivre et à s'avancer hardiment. Il n'y a pas de recette universelle à appliquer. Chaque chrétien doit donner chair à la parole que Dieu lui adresse. A partir d'elle, il lui faut renaître, enfanter un monde nouveau. Il fait alors doublement appel aux ressources de son intelligence : pour mieux comprendre et recevoir la parole qui lui est donnée d'en haut ; pour permettre à cette parole de germer et de porter du fruit. Pas de foi vivante sans effort renouvelé de réflexion et d'intelligence.

Mais la conception que votre ami se fait de la raison m'interroge. Je la trouve totalitaire. Il place la raison si haut que tout effort pour chercher ailleurs un sens à la vie lui paraît humiliant pour l'intelligence. Faut-il attendre de la raison qu'elle nourrisse entièrement l'existence d'un homme ? A mon avis, ce serait une erreur profonde. Comprendre le monde et le maîtriser font pour une part la noblesse de l'homme. Mais ils ne suffisent pas à apaiser sa soif de bonheur et sa quête d'un sens. L'Évangile nous aide à démystifier le pouvoir trop absolu que certains donnent à la raison. Il nous parle d'abord de l'amour de Dieu et des autres. Le christianisme ne combat pas l'intelligence. Il reconnaît son autonomie et l'humanise en la mettant au service de plus grand qu'elle.

54. *Élire le pape au suffrage universel*

Vatican II a ouvert toutes grandes sur le monde les portes de l'Église. Le monde n'aurait-il pas aussi son mot à dire dans l'élection du pape ? C'est un collège de cardinaux choisis par les papes précédents qui a élu Jean-Paul Ier et Jean-Paul II. Pourquoi ne pas imaginer que le pape soit désormais choisi par l'ensemble des catholiques au moyen d'une élection universelle ?

Pourquoi ne pas rêver, en effet, d'un mode de désignation du pape plus conforme à nos habitudes électorales d'aujourd'hui ?

C'est vrai que la participation du peuple chrétien à

l'élection du pape a été la règle tout au long des dix premiers siècles de l'histoire de l'Église. Le pape, évêque de Rome, était choisi par l'ensemble des catholiques de son diocèse. Les laïcs proposaient une liste de noms. Le clergé l'examinait, ajoutait ou retranchait. Les évêques de la province de Rome décidaient en dernier ressort. Mais cette modalité conduisit très vite à de graves abus. Des factions rivales s'organisèrent et firent pression au cours de la séance électorale, n'hésitant pas à utiliser la violence pour imposer leur candidat.

La pression des puissances politiques devint telle aux Xe et XIe siècles qu'il fallut transformer le système électoral pour préserver l'indépendance de la papauté. Les princes italiens et les empereurs allemands réglaient leurs comptes par pape interposé, défaisaient les élections, faisaient élire des antipapes. En 1059, la bulle *In nomine Domini* décréta que seuls les cardinaux prendraient une part active à l'élection. L'adhésion des autorités séculières, des membres du clergé et du peuple de Rome ne devint qu'une simple formalité.

Faire participer plus directement les catholiques à l'élection du pape peut donc apparaître comme un retour à la tradition la plus ancienne. Mais cela suppose résolu un problème préalable plus complexe. Qui seraient les électeurs ? Les fidèles du diocèse de Rome ou l'ensemble des catholiques du monde entier ? Le pape est à la fois évêque de Rome et chef de l'Église universelle.

Il y a deux façons de comprendre cette double fonction. Le pape serait l'instance suprême d'une hiérarchie et les évêques lui seraient entièrement subordonnés. C'est une conception relativement récente dans la tradition chrétienne (Vatican I, 1870). Ou bien le pape serait chef de l'Église en tant qu'évêque de Rome, parce que le siège de Rome a une primauté d'honneur et d'arbitrage sur les autres. C'est la conception la plus ancienne et c'est pourquoi les orthodoxes et les protestants s'en réclament. Les communautés chrétiennes ont encore à trouver leur unité de point de vue. Une réponse trop hâtive sur le mode d'élection du pape engage toute une façon de regarder l'Église.

TABLE DES MATIÈRES

Achevé d'imprimer le 9 janvier 1985
par Jugain Imprimeur S.A.
à Alençon (France)
N° Imprimeur : 841595c
Dépôt légal : 1er trimestre 1985